Nous remercions le ministère du Patrimoine canadien,
la SODEC et le Conseil des Arts du Canada
de l'aide accordée à notre programme de publication

Patrimoine canadien — Canadian Heritage

Conseil des Arts du Canada — Canada Council for the Arts

ainsi que le Gouvernement du Québec
– Programme de crédit d'impôt
pour l'édition de livres
– Gestion SODEC.

Nous reconnaissons l'aide financière
du Gouvernement du Canada
par l'entremise du Programme d'aide au développement
de l'industrie de l'édition (PADIÉ) pour ce projet.

Illustration de la couverture :
Carl Pelletier pour Polygone Studio

Maquette de la couverture :
Grafikar

Montage de la couverture :
Ariane Baril

Édition électronique :
Infographie DN

Membre de l'Association nationale des éditeurs de livres

ASSOCIATION NATIONALE DES ÉDITEURS DE LIVRES

Dépôt légal : 1er trimestre 2009
Bibliothèque nationale du Canada
Bibliothèque nationale du Québec

1234567890 IML 09

ISBN 978-2-89633-087-4
11309

SÉTI, L'ANNEAU DES GÉANTS

TOME 4

DU MÊME AUTEUR
AUX ÉDITIONS PIERRE TISSEYRE

Collection Papillon

La folie du docteur Tulp, 2002
(en collaboration avec Marie-Andrée Boucher).

Collection Chacal

La maudite, 1999.
Quand la bête s'éveille, 2001.
La main du diable, 2006.
Séti, le livre des dieux, tome 1, 2008.
Séti, le rêve d'Alexandre, tome 2, 2008.
Séti, la malédiction du gladiateur, tome 3, 2008.

Collection Conquêtes

L'Ankou ou l'ouvrier de la mort, 1996.
Terreur sur la Windigo, 1997 (finaliste au Prix du Gouverneur général 1998).
Ni vous sans moi, ni moi sans vous, 1999 (finaliste au Prix du Gouverneur général 2000).
Siegfried ou L'or maudit des dieux, 2000 (finaliste au prix M. Christie 2001).
Une dette de sang, 2003.
La porte de l'enfer, 2005.
Nuits rouges, 2006 (finaliste au Prix du Gouverneur général 2006).
Émile Nelligan ou l'abîme du rêve, 2006.

Collection Ethnos

Par le fer et par le feu, 2006.
L'Homme de l'aube, 2007.

Aux Éditions Hurtubise/HMH (jeunesse)

Le fantôme du rocker, 1992.
Le cosmonaute oublié, 1993.
Anatole le vampire, 1996.
Le chat du père Noé, 2006 (finaliste au prix TFD).

Aux Éditions Triptyque

Le métier d'écrivain au Québec (1840-1900), 1996.
Dictionnaire des pensées politiquement tordues, 1997.

SÉTI, L'ANNEAU DES GÉANTS

TOME 4

DANIEL MATIVAT

roman

ÉDITIONS
PIERRE TISSEYRE
www.tisseyre.ca

9300, boul. Henri-Bourassa Ouest, bureau 220
Saint-Laurent (Québec) H4S 1L5
Téléphone : 514-335-0777 – Télécopieur : 514-335-6723
Courriel : info@edtisseyre.ca

Catalogage avant publication de Bibliothèque et Archives nationales du Québec et Bibliothèque et Archives Canada

Mativat, Daniel, 1944-

Séti, L'anneau des géants

(Collection Chacal ; 51) (Séti ; 4)
Pour les jeunes de 12 à 17 ans.

ISBN 978-2-89633-087-4

I. Pelletier, Carl. II. Titre III. Collection

PS8576.A828S487 2009 jC843'.54 C2008-942267-8
PS9576.A828S487 2009

1

Le mystère s'épaissit

Cela faisait maintenant plusieurs mois que j'avais exploré cette tombe énigmatique de l'oasis de Barahiya.

Normalement, j'aurais dû me mettre aussitôt à l'inventaire du site. Un travail méticuleux, long et fastidieux, Howard Carter lui-même ayant pris pas loin de dix années pour sortir sans dommages le mobilier et les trésors du tombeau de Toutankhamon[1].

En d'autres temps, j'aurais aussi convoqué mes savants collègues ainsi que les journalistes du monde entier et, vu le caractère sensationnel de ma découverte, nul doute que je serais, moi aussi, devenu une vedette du monde archéologique.

1. La tombe de Toutankhamon, découverte le 4 novembre 1922, contenait plus de trois mille objets et leur liste descriptive occupe trois gros volumes.

Mais mon instinct continuait de me dire qu'il valait mieux, pour l'instant, garder secrète la mise au jour de cette étrange sépulture. Surtout après la lecture des trois premiers livres de Séti qui m'avait plongé dans un doute profond mêlé d'étonnement. Ce que cet Égyptien y racontait était-il possible ? Se pouvait-il, comme il le contait, qu'il ait traversé les siècles grâce au pouvoir magique du livre sacré de Thot dont il avait la garde ? Ou bien le récit de ses incroyables aventures en terre d'Égypte, en Grèce et à Pompéi n'était-il que le fruit de son imagination fertile ?

J'étais un scientifique, un esprit rationnel. Je n'étais pas sans savoir que longtemps les hommes avaient vécu dans un monde où les dieux et le surnaturel faisaient partie de la vie quotidienne. Ce récit de la vie de Séti pouvait donc n'être qu'un mythe ou une épopée du genre de celle de Gilgamesh, d'Hercule ou d'Énée qui, sous la plume d'un poète exalté, avait transformé un héros populaire en une sorte de demi-dieu doté de pouvoirs surhumains.

Ce n'était pas une hypothèse à écarter mais, outre plusieurs détails troublants relevés au moment de l'ouverture du tombeau, comment expliquer que les aventures de ce Séti

s'étalaient sur environ mille trois cents ans ? Il aurait fallu des générations et des générations d'écrivains pour couvrir une aussi vaste période. Et, dans ce cas, qui aurait pu compiler les différentes parties de l'ouvrage ? Qui les avait reliées entre elles pour constituer le gros volume que j'avais entre les mains ? Cela sans compter les différents supports qui avaient servi… Tous étaient rigoureusement authentiques. Le papyrus du premier livre datait bien de la XIXe dynastie de l'ancienne Égypte. Le parchemin du deuxième remontait à l'époque hellénistique et les tests au carbone 14 avaient confirmé que le troisième volet avait été produit sous le règne de Vespasien ou de Titus.

Conséquemment, le texte, dans son ensemble, avait forcément été écrit à différents moments de l'histoire antique. De plus, comme le ton et le style du manuscrit étaient tout à fait personnels, je ne pouvais écarter la possibilité que Séti en soit véritablement l'auteur. Autrement dit, je devais accepter l'idée renversante qu'un être humain ait pu défier les lois de la nature en traversant un grand nombre de siècles sans jamais vieillir ni mourir.

Or, si cela était vrai, ma découverte n'avait pas simplement une grande valeur

archéologique : elle risquait d'ébranler le monde et de susciter les plus dangereuses convoitises !

C'est pourquoi je décidai de prendre un certain nombre de précautions avant de quitter mon hôtel d'Alexandrie et de m'envoler pour Montréal avec, pour seuls bagages, le précieux livre de Thot et les mémoires de Séti.

Sur place, je louai sous un faux nom un loft près du pont Jacques-Cartier et pris soin de le sécuriser en y faisant installer un système d'alarme, des caméras de surveillance, une porte blindée et un solide coffre-fort où je pourrais enfermer mon précieux butin.

Une fois rassuré, je pus entreprendre, à tête reposée, la lecture de la quatrième partie des confessions de Séti.

Richement enluminé, ce texte ressemblait à l'un de ces magnifiques manuscrits irlandais ou northumbriens des VIe et VIIIe siècles, comme le fameux Book of Durrow ou le non moins célèbre Book of Kells, quoiqu'à mon avis il était probablement beaucoup plus ancien.

En le feuilletant, je remarquai que chacune de ses pages était si abondamment illustrée que parfois cette ornementation en devenait

vertigineuse, provoquant une sorte d'effet hypnotique. C'était le cas, en particulier, des têtes de chapitre où les lettrines envahissaient presque tout l'espace disponible, comme si l'enlumineur, en se perdant dans le tracé labyrinthique d'une multitude d'entrelacs et de spirales qui sortaient de la gueule de monstres dévorants, avait voulu représenter les tourments de sa propre pensée dans un monde en proie au chaos et à la déliquescence.

2

Viviane

Je vis depuis si longtemps que mes souvenirs s'effacent au rythme immuable des années, comme s'effacent à chaque marée les traces de nos pas imprimées dans le sable.

Depuis que j'ai fui la Campanie en essayant d'oublier ma chère Livia ensevelie sous les cendres du Vésuve, j'ai parcouru toutes les provinces de l'Empire à la recherche d'un havre de paix, un lieu loin de tout où le livre de Thot ne risquerait pas de tomber une nouvelle fois entre les mains impies de fous dangereux ou d'ambitieux sans scrupules.

Pas moins de soixante-cinq empereurs se sont succédé sur le trône des Césars depuis mon départ de Pompéi. Certains furent sages, comme Marc Aurèle le philosophe, d'autres sanguinaires et corrompus tels Commode, le nouveau Néron, ou Héliogabale le Syrien.

Reste que le passage de tous fut marqué par les guerres civiles, les assassinats, les famines et les persécutions sauvages.

J'ai franchi les Alpes. J'ai traversé la riche Narbonnaise, remonté le Rhodanus[2]. Partout, je n'ai trouvé que des villas incendiées et des cités en alerte derrière leurs remparts jusqu'à ce que je me retire dans ce modeste monastère du nord de la Gaule, perdu au milieu des marais et des forêts touffues.

L'abbé qui m'ouvrit la porte ne me demanda pas qui j'étais ni d'où je venais.

— Que cherches-tu ? me dit-il simplement.

— Je cherche la paix et le silence.

— Entre… tu as choisi la bonne maison.

Je mourais de faim. Il m'offrit un quignon de pain noir et un bol de soupe. Pendant que je mangeais, il m'examina des pieds à la tête avec une attention bienveillante.

— C'est ton seul bagage ? m'interrogea-t-il en désignant le sac de toile que je portais en bandoulière.

— Oui. Juste un livre très ancien auquel je tiens beaucoup…

---

2. Le Rhône.

Le religieux hocha la tête sans manifester le désir d'en savoir davantage.

Il m'invita à le suivre et me conduisit dans une cellule blanchie à la chaux au mur de laquelle était fixée une croix de bois où figurait un homme cloué par les bras et les pieds. Livia m'avait longuement parlé de ce prophète juif que les Romains avaient exécuté il y a de cela quatre cents ans. Le fils du Tout-Puissant mort et ressuscité. Celui qui, du haut d'une montagne, avait dit à la foule : *Heureux les doux, car ils recevront la terre en héritage. Heureux les affligés, car ils seront consolés. Heureux les affamés et assoiffés de justice, car ils seront rassasiés... Heureux les artisans de paix car ils seront appelés fils de Dieu*[3]*...*

J'aimais ces paroles qui avaient redonné espoir à tant d'esclaves et de démunis, mais il me fallut tout de même une longue période de réflexion avant d'accepter l'idée de mentir sur mon passé et de renoncer en partie à mes propres croyances pour enfiler la robe de laine à capuchon des moines de la forêt de Crogny. Mais avais-je le choix si je voulais partager la vie de cette humble communauté, retirée

3. Évangile selon saint Mathieu.

volontairement loin de tout ? Et puis qui sait ? Cette foi nouvelle m'apporterait peut-être la sérénité que j'avais tant admirée chez ces martyrs chrétiens du temps que je combattais dans les cirques romains. Peut-être même qu'un jour je retrouverais grâce à elle ma chère Livia dans son paradis ?

Lorsque je fus enfin prêt, le supérieur du moutier me rencontra de nouveau pour m'expliquer les règles que je devrais désormais respecter en attendant de prononcer mes vœux définitifs :

— Ici, chacun doit travailler pour venir en aide à ses frères. Que sais-tu faire ?

— Dans une autre vie, j'ai exercé le métier de scribe…

— Connais-tu le grec et le latin ?

— Oui.

— Alors tu travailleras à la bibliothèque. Un de nos frères-copistes vient d'être rappelé à Dieu. Tu prendras sa place. Ce qui ne te dispensera toutefois pas de bêcher le jardin et de cuire le pain.

Sitôt cette conversation terminée, il me mena à l'écritoire, une grande pièce voûtée où cinq moines travaillaient penchés, la plume d'oie et le pinceau à la main. Pas un ne leva la tête pendant que l'abbé m'indiquait ma place.

— J'ai reçu commande d'une belle Bible à recopier. Cela ne te prendra pas plus d'un an. Quant au livre précieux que tu as apporté, tu pourras le ranger là avec les autres.

Et c'est ainsi que, pendant des mois, page après page, je reproduisis le livre saint sans me plaindre de la douleur qui finissait par me tenailler le dos ni du froid et de l'humidité qui m'engourdissaient les doigts.

Au contraire, bien à l'abri derrière ces vieux murs et séparé du monde par de lourdes grilles, je goûtais cette vie simple ponctuée de chants, de lectures, de corvées au champ et d'appels de cloches. Je n'avais plus à penser. Juste à m'appliquer sur chaque lettre que je traçais. Juste à gratter soigneusement les peaux déjà utilisées quand le parchemin venait à manquer.

Tout comme moi, le livre de Thot ne craignait plus rien. Il était enchaîné sur son rayon avec quelques-uns des livres rares du scriptorium et de mon pupitre, tous les matins, je pouvais vérifier s'il était toujours là. Précaution d'ailleurs bien inutile, car aucun des frères besognant à mes côtés n'aurait osé y toucher sans l'autorisation du supérieur.

Oui, cette vie sereine me plaisait bien. Toutefois, régulièrement, un des frères qui

avait été vendre nos produits à Catuvellauni[4], la ville la plus proche, commença à nous rapporter des nouvelles alarmantes.

— Il paraît que les barbares ont franchi les limes[5]. Ils ont traversé le Rhin. Des Goths et des Francs vêtus de peaux de bêtes qui brûlent les églises. Ils ont taillé en pièces les légions envoyées pour les refouler au-delà du fleuve…

Mais l'alerte finissait toujours par passer. On apprenait plus tard que ces brutes avaient fini par s'assagir. Conquis par la douceur du climat, enivrés de cervoise et séduits par la blondeur des femmes du pays, ils s'étaient installés. Beaucoup s'étaient même fait baptiser ou avaient carrément rejoint les rangs de l'armée romaine pour défendre le territoire contre de nouveaux envahisseurs sortis des forêts sauvages de Germanie ou des grandes plaines du Danube.

Cela dura jusqu'en l'an 451, avec l'apparition de nouvelles hordes venues de Pannonie[6]. Elles avaient, dit-on, pillé Colonia

---

4. Châlons-sur-Marne.
5. Frontières.
6. Région d'Europe centrale, devenue province romaine, correspondant à l'ouest de la Hongrie et à une partie de l'ex-Yougoslavie.

Agrippinensis et Moguntiacum[7], incendié les cités mosellanes de Treveri et de Mediomatrici[8] avant de ravager Ambiani[9] et les riches villes du nord. Seuls Parisii et Aurelianum[10] avaient échappé à la fureur des envahisseurs mais, maintenant qu'ils remontaient vers nous et se trouvaient presque à nos portes, nul ne savait quel sort ils nous réserveraient.

J'étais monté sur une charrette chargée de foin quand je tombai par hasard sur une bande de ces pillards. J'eus à peine le temps de cacher les bœufs de mon attelage dans un sous-bois avant que les barbares soient là.

Ils défilèrent à la lisière de la forêt sans me voir.

Ils étaient vraiment affreux. Une bande de cinq cents à mille cavaliers montés sur de petits chevaux à longs poils.

Au milieu des champs, de l'autre côté de la route, des paysans les avaient également aperçus et s'enfuyaient comme des volées d'oiseaux en jetant leurs houes et leurs

7. Cologne et Mayence.
8. Trêves et Metz.
9. Amiens.
10. Paris et Orléans.

fourches aux cris de : « Les Huns ! Les Huns ! Dieu ait pitié de nous ! »

La sagesse aurait été de regagner au plus vite le monastère par un chemin de travers.

Je n'en fis rien.

À l'horizon, des colonnes de fumée obscurcissaient le ciel du côté de Remi[11] et des hauteurs où je m'étais posté, je pouvais voir du sud au septentrion s'élever les nuages de poussière soulevés par d'immenses armées en marche.

Une grande bataille se préparait.

À vrai dire, une curiosité mêlée d'effroi me poussait à rester pour observer ces guerriers des steppes dont la sinistre réputation s'était répandue de Byzance aux frontières de l'Extrême-Occident. Ils correspondaient assez au portrait qu'en faisaient certains textes où l'on décrivait leur chef, Attila, comme *le fléau de Dieu*. Une sorte d'antéchrist monté sur un cheval d'enfer sous les sabots duquel l'herbe ne repoussait plus.

De petite taille, ces hommes avaient le cou épais, les épaules larges et les jambes courtes. Leur peau était presque noire et leurs yeux si bridés qu'on les voyait à peine. Mais

---

11. Reims.

ce qui frappait surtout, c'était leur extrême hideur accentuée par la forme en pain de sucre de leur crâne rasé[12] et les scarifications labourant leurs joues qui ne laissaient place qu'à de rares touffes de poil.

Certains portaient des casques pointus et des cuirasses à écailles de fer, bien que la plupart fussent coiffés de simples bonnets de fourrure et habillés de casaques de peaux de rat et de jambières taillées dans des toisons de bouc. Ils étaient sales et dégageaient une odeur si forte que, malgré la distance qui me séparait d'eux, je ne pus réprimer une moue de dégoût.

En fait, pour dire vrai, à les voir chevaucher en désordre, galopant en tous sens, riant, discutant tout en déchirant à belles dents les morceaux de viande séchée qu'ils retiraient de sous leurs selles, on avait de la difficulté à les imaginer aussi terribles qu'on le prétendait. J'irais même jusqu'à dire que, sans leurs lances décorées de queues de cheval, leurs longues épées et les curieux arcs

12. Dans la culture hunnique, les mères, grâce à des massages, modifiaient le galbe des os du crâne de leurs enfants pour leur donner une forme pointue jugée plus noble. Elles aplatissaient également le front et le nez des nourrissons.

accrochés à leurs montures, on aurait pu les prendre pour de simples nomades parcourant le pays à la recherche de riches pâturages pour les troupeaux qui les accompagnaient. Car, derrière cette troupe désordonnée se bousculait une incroyable cohue d'hommes et d'animaux constituée de prisonniers, de bétail volé et, à bord de lourds chariots, de femmes aux étranges coiffures en forme de cornes et d'enfants aux têtes démesurément allongées.

De minute en minute d'ailleurs, le flux humain grossissait. D'autres troupes à cheval affluaient au grand galop en poussant des hurlements sauvages.

Je compris bientôt la cause de toute cette agitation en scrutant les alentours du haut de la colline où j'avais trouvé refuge.

Ce que je vis me coupa le souffle. De l'ouest s'avançait également une gigantesque armée. Plusieurs légions identifiables au chrisme[13] peint sur leurs boucliers et fixé au sommet de leurs enseignes. Des Romains, mais aussi, revêtus du même équipement

13. Symbole chrétien adopté en 313 par Constantin I. Formé de deux lettres grecques : *chi* et *rho*, évoquant le mot *christos* (christ).

militaire, des milliers et des milliers de barbares alliés. Sans doute des Wisigoths, des Alains, des Burgondes, des Saxons et des Bretons, sans compter quelques contingents de Bagaudes[14]. Jamais je n'avais rien vu de tel. Combien étaient-ils ? Cent mille, cent cinquante mille ? Plus peut-être…

L'après-midi était avancé et comme le soleil baissait à l'horizon, je pensais que la bataille n'irait qu'au lendemain, ce qui me donnerait la chance de quitter les lieux avant le début des hostilités.

Je me trompais.

Au milieu de la plaine connue sous le nom de *campus Mauriacius*, à quelque distance de Duro Catalaunum[15], les soldats romains avaient déjà engagé le combat contre une avant-garde barbare apparemment inféodée aux hommes des steppes.

Une confusion extrême régnait.

Les légionnaires, après avoir lancé leurs pilums, avancèrent au pas cadencé. Ils marquaient le rythme en frappant leurs glaives contre leurs boucliers. Puis, dans un terrible

---

14. Milices gallo-romaines.
15. Ces deux lieux correspondent à l'endroit où serait survenue la bataille des Champs catalauniques près de Châlons-sur-Marne.

corps à corps, les deux troupes s'entre-choquèrent avec une violence inouïe, pareilles à deux vagues humaines se brisant dans un flot de sang au milieu des sonneries des buccins, des cris des blessés et du cliquetis des épées.

Sur le moment, je ne pus juger de l'issue de ces premiers affrontements. Plus tard, j'appris que, dans cette seule escarmouche entre les armées du général Aetius et les Gépides loyaux à Attila, avaient succombé pas moins de quarante mille combattants.

Mais ce n'était, hélas, que le premier acte de ce carnage insensé. En effet, à peine les vainqueurs eurent-ils reformé leurs rangs en laissant derrière eux une jonchée de cadavres, que les Huns attaquèrent à leur tour selon leur tactique bien particulière qui consistait à lancer des charges foudroyantes de cavalerie, puis à décrocher en prenant l'ennemi au filet ou en lui décochant par-dessus l'épaule des volées de flèches meurtrières. Le spectacle était affolant.

Des grappes d'hommes s'écroulaient, la gorge et la poitrine transpercées. Des chevaux éventrés roulaient à terre en battant des pattes et en poussant des hennissements déchirants. C'était horrible.

Au crépuscule, la bataille se poursuivait toujours. La couleur pourpre du ciel se confondait presque avec celle de la terre ruisselante de sang. Il y avait tant de morts entassés partout que la rivière coulant à mes pieds en était encombrée et qu'elle avait formé un lac rouge qui inondait peu à peu la plaine.

Il fit bientôt nuit noire. On continuait à s'entre-égorger et cette folie meurtrière se poursuivit le lendemain et le jour suivant comme si la Mort avait décidé de faucher jusqu'au dernier les soldats des seize nations qui, par milliers, expiraient sous la lame de sa faux, décapités, saignés à mort, les entrailles sorties et les membres tranchés.

Le troisième jour, cet ouragan de fer, de feu et de sang sembla s'apaiser enfin. Le champ de bataille, hier encore grouillant d'hommes, n'était plus désormais qu'un immense charnier au-dessus duquel les corbeaux commençaient à tournoyer et où les loups enhardis se disputaient des lambeaux de chair.

Des peuples entiers avaient succombé. Presque tous les Francs. Les Wisigoths, eux, avaient perdu leur roi[16] et, leurs épées levées

16. Théodoric I.

au ciel, ils poussaient des cris lugubres en entourant le cadavre de leur chef porté sur un bouclier.

C'était l'heure où les plus braves sentent leur courage vaciller, si bien qu'il était impossible de savoir quel camp allait finalement l'emporter. Seuls, les Romains retranchés sur les hauteurs résistaient toujours. Ils repoussaient une à une les attaques furieuses des Huns qui tombaient de leurs chevaux et arrachaient de leurs propres mains les flèches qui les frappaient pour à nouveau se jeter à corps perdu sur les légionnaires épuisés, lesquels leur enfonçaient leur glaive dans le ventre d'un geste d'une précision implacable.

De mon côté, je n'avais pas dormi depuis deux nuits et, au soir de ce troisième jour, je profitai d'une accalmie pour essayer de quitter ce lieu maudit. Je ne pus aller très loin. À la sortie du bois où j'avais laissé mon attelage, je tombai sur un cercle de chariots au centre duquel étaient entassées des selles de bois comme si quelqu'un préparait un grand bûcher.

Même s'il avait été saccagé et en partie abandonné, ce campement devait être celui d'un chef hun d'importance. Peut-être celui du roi Attila en personne. Cela semblait possible, à voir l'intense activité qui régnait dans la

tente principale. Des officiers en armure dorée y entraient et en sortaient sans arrêt, sautant sur leurs montures et repartant au galop.

Cette présence me posait un grave problème, car il n'y avait pas d'autre chemin pour regagner le monastère. Par prudence, j'abandonnai donc mes bœufs et décidai de me faufiler à la faveur de la nuit au travers des lignes ennemies. Pour cela, il me fallait au moins une arme pour me défendre. Je trouvai une hache de guerre à deux taillants sur le corps d'un jeune barbare qui gisait le visage dans la boue.

C'est alors que des plaintes et des hennissements de chevaux attirèrent mon attention. Ces appels de détresse provenaient d'esclaves et de bêtes enfermés dans un enclos non loin d'un chariot somptueux plus gros que les autres qui devait être le chariot royal. Je m'approchai en rampant et, à la lumière des torches qui illuminaient la place, je devinai le drame qui était en train de se jouer. Voyant le résultat incertain de la bataille, le roi des Huns avait fait empiler toutes ces selles dans le but de s'immoler par le feu plutôt que d'être fait prisonnier. Mais, comme il ne voulait pas partir seul au royaume des ombres, il avait

ordonné qu'on sacrifie en même temps que lui ses meilleures cavales et ses plus belles captives.

Sans l'aide de personne, je ne pouvais qu'assister impuissant à cette nouvelle tuerie inutile. Du moins, c'est ce que je pensais jusqu'à ce qu'une des femmes, que les gardes s'apprêtaient à égorger, tente de s'échapper. Une Bretonne, à en juger par sa chevelure de feu, sa peau blanche piquée de taches de rousseur et sa tunique de tartan.

Dès que son bourreau l'empoigna par les cheveux, elle se débattit comme une enragée et lui planta ses ongles dans les yeux. La fibule qui retenait le haut de son vêtement se détacha et, la poitrine à demi dénudée, elle s'enfuit en courant pendant que deux Asiates, épée à la main, se lançaient à sa poursuite.

Le premier n'eut guère le temps de se rendre compte de ce qui lui arrivait. D'un coup de ma lourde francisque, je lui fendis le crâne jusqu'au nez. Son compagnon lui, me chargea, sa lame levée. Je lui brisai les reins avec une facilité qui me déconcerta moi-même. D'instinct, je venais de retrouver les gestes imparables du professionnel de la mort que j'avais été aux jours pas si

lointains où je combattais encore dans les arènes de Campanie.

Effrayée, la jeune fugitive me dévisagea en tremblant. Afin de la rassurer, je jetai la hache ensanglantée que je tenais encore à deux mains.

— Ne crains rien, je ne te veux aucun mal ! Me comprends-tu ?

Elle acquiesça d'un signe de tête en agrafant pudiquement sa tunique et en dégageant les mèches rebelles qui lui cachaient une partie du visage.

Je lui demandai son nom.

— Viviane, répondit-elle. Je viens d'Alba.

— Alba ?

— Oui. De l'île de Bretagne.

— Moi, je m'appelle Séti mais, pour les frères de ma communauté, je suis frère Merlinus. Venez, il vaut mieux ne pas traîner dans les parages.

Elle hésita un instant et, avant de me suivre, ramassa sur un des guerriers abattus un poignard qu'elle glissa dans sa ceinture.

Les routes aussi bien que les sentiers étaient encombrés de cadavres qui rendaient la marche difficile. Ceux des soldats morts au début de la bataille bruissaient déjà de

mouches et, en les enjambant, Viviane se boucha le nez :

— Quelle abomination !

En ce qui me concerne, je connaissais bien l'odeur de la mort et elle ne me soulevait plus le cœur depuis longtemps. Par contre, j'étais horrifié par l'ampleur de l'hécatombe. Nul doute que jamais dans l'histoire on n'avait poussé la folie destructrice de la guerre aussi loin[17].

J'étais plongé dans ces sinistres pensées quand les dieux décidèrent à nouveau d'orienter ma destinée dans une direction inattendue.

Cette fois, le signe de leur manifestation invisible fut la découverte d'un imposant chariot qui ressemblait à une sorte de palais sur roues. Il avait été abandonné et pillé à en juger par les coffres brisés et les étoffes précieuses éparpillées un peu partout.

Tout à coup, au milieu des restes de butin abandonnés sur place, un objet planté dans le sol attira mon attention. Il s'agissait d'une épée rouillée et très ancienne. Je la saisis par la garde et la sortis de terre. Sa lame brillait d'un éclat surnaturel et une inscription en latin y était gravée :

17. Avec 150 000 à 200 000 morts, la bataille des Champs catalauniques resta, jusqu'à l'époque moderne, le combat ayant causé la pire hécatombe.

J'APPARTIENS À MARS, FILS DE JUPITER ET DE JUNON.

Viviane, qui me précédait, revint sur ses pas.

— Je connais cette épée. C'est celle du roi des Huns. Je l'ai vu la brandir devant ses troupes en clamant qu'elle lui donnerait le pouvoir sur le monde entier[18].

Je fis tourner l'arme dans ma main, ne sachant trop quoi en faire. En effet, il était exclu que je l'apporte au monastère mais, d'un autre côté, je ne pouvais me résoudre à m'en débarrasser.

— C'est un glaive superbe. En vérité, une arme tout à fait digne d'un dieu !

Le soleil fit de nouveau étinceler l'acier de l'épée et, bien que je doutasse de son origine divine, je décidai de la conserver au moins jusqu'à ce nous soyons hors de danger.

Nous nous remîmes en route et parcourûmes plusieurs miles[19] sans vraiment quitter le champ de bataille qui ne semblait pas avoir

---

18. Selon la légende, trouvée en Scythie par un simple bouvier et offerte à Attila, l'épée du dieu Mars faisait du roi Attila un demi-dieu vivant destiné à devenir l'héritier légitime de l'Empire romain.
19. Unité de distance romaine correspondant à mille pas ou mille cinq cents mètres.

de fin et avait laissé des traces jusqu'aux abords de la forêt de Crogny où achevaient de se consumer des huttes de paysans devant lesquelles des porcs affamés dévoraient des corps nus qui pourrissaient sur des tas de fumier.

Le monastère était maintenant tout proche et je m'étonnais de ne pas entendre le son familier des cloches appelant à la prière.

L'air sentait la fumée et la brise apportait une intense odeur de chair brûlée qui me faisait imaginer le pire.

Je pressai le pas.

Ce qui m'attendait me glaça d'effroi.

Le saint lieu n'était plus que ruines fumantes. Tous les moines avaient été massacrés. Certains, empalés, avaient été criblés de flèches. Des autres, il ne restait que des corps sans chefs, les têtes ayant sans doute été emportées en guise de trophées. Tout ce qui possédait quelque valeur – reliquaires, calices, croix de procession – avait disparu.

Viviane, qui m'avait rejoint, contempla elle aussi en silence cette mise à sac désolante. Voyant que je fouillais des yeux un endroit particulier, elle s'informa :

— Tu cherches quelque chose ?

— Oui, une sorte de rouleau auquel je tenais beaucoup…

Elle me désigna du doigt une forme noircie qui émergeait à peine de l'épaisse couche de cendres.

— Ce ne serait pas lui ?

Je tressaillis à sa vue. C'était bien le livre de Thot qui avait une fois de plus échappé aux flammes.

— C'est vraiment une chance extraordinaire de l'avoir retrouvé ! Tu me sauves la vie…

La jeune Celte esquissa un sourire en montrant un autre endroit parmi les décombres.

Une ombre bougea derrière une poutre à moitié calcinée.

— Je pense que c'est à lui que tu devrais dire merci. Quand je l'ai vu gratter à cet endroit, j'ai pensé qu'il y avait quelque chose d'enterré là…

Curieux, je lui fis signe de m'apporter la créature qui, par hasard, m'était venue ainsi en aide. Elle se pencha derrière la poutre et en sortit une boule de poils noirs. Un chaton de quelques semaines. Un chat au front marqué d'une étoile blanche comme certains animaux sacrés de mon Égypte natale.

— Mais d'où sort-il, celui-là ?

— Il est tout jeune. Sa mère a dû le mettre bas avec le reste de sa portée dans le fenil là-bas. Tu aimes les chats ?

Je ne répondis pas à cette question, me contentant de caresser la petite créature poilue qui se mit aussitôt à ronronner.

— C'est drôle, reprit Viviane, on dirait qu'il te connaît depuis toujours…

Cette remarque innocente me laissa songeur. Elle avait raison. Sans doute était-ce un autre signe envoyé par les dieux afin de me rappeler ma mission…

Mais ce qui me troubla encore davantage, ce fut l'attitude de Viviane qui, tout en parlant, avait pris le chat dans ses bras et s'était mise à lui gratter la tête du bout des ongles. Un geste tendre, en apparence anodin, mais qui souleva en moi une vague d'émotions me ramenant des siècles en arrière et réveillant le souvenir précieux entre tous de Néfer, la seule femme que j'avais aimée. Néfer que j'avais cru retrouver sous les traits de Roxane en Macédoine et de Livia à Pompéi. Néfer qui, j'en étais convaincu, n'était pas vraiment morte puisque son âme immortelle pouvait s'être réincarnée plusieurs fois dans d'autres corps. Raison pour laquelle, au fil des siècles, je cherchais toujours à découvrir sa présence

dans chaque femme que je rencontrais. Raison pour laquelle j'espérais la reconnaître au hasard d'un mot, d'un regard ou d'un mouvement familier pour ensuite la reconquérir et lui révéler le miracle renouvelé de ces retrouvailles successives, de notre amour qui pouvait renaître et défier la mort.

Viviane devina-t-elle mes pensées par la magie de quelque mystérieuse intuition? Toujours est-il qu'elle releva soudainement la tête pour me fixer droit dans les yeux. Et alors, je sus sans l'ombre d'un doute qu'elle était bien celle dont j'attendais le retour.

Après avoir enseveli de mon mieux les dépouilles des moines lâchement assassinés, je jugeai que rien ne me retenait plus en ces lieux. La jeune prisonnière bretonne, qui m'avait aidé à transporter les corps et à coudre les linceuls, me regarda faire mes préparatifs sans trop savoir quelle attitude adopter.

Je lui dis :

— Tu es libre, maintenant. Libre de rester ou de venir avec moi si tu veux…

— Où vas-tu ?

— Loin d'ici.

— Je peux apporter le chat ?

— Oui. Donne-le-moi. Je le mettrai dans ma besace.

Nous voyageâmes plusieurs jours sans nous parler. J'avais gardé l'épée du roi des Huns mais, par commodité, j'avais ôté ma robe de moine au profit d'un sayon de laine et de braies de paysan. Ainsi, je me fondais dans le flot des réfugiés fuyant les contrées ravagées du Nord et de l'Est.

Ce n'est qu'aux portes d'Aurelianum, une des rares cités épargnées, que je me mis à réfléchir sur ce que nous allions devenir.

Les pluies d'automne nous avaient trempés. J'avais allumé un feu pour faire sécher nos vêtements. En me déshabillant, j'ôtai la croix monastique qui pendait encore à mon cou et la jetai au loin.

Viviane s'étonna :

— Tu ne crois plus en ton dieu ?

— Non. Il a abandonné ceux qui avaient foi en lui comme il a abandonné son propre fils. Ce n'est pas un dieu d'amour et de bonté. Je préfère revenir aux anciens et à Bastet la grande déesse. Eux ne m'ont jamais trahi…

Viviane ne fit aucun commentaire, mais le chaton qui n'avait pas quitté ses genoux sauta à terre et vint se frotter à mes jambes en miaulant doucement.

Quand le feu ne fut plus que braises, ma jeune compagne, qui devait avoir froid, vint

se blottir contre moi. Sa peau était douce et chaude. Elle me posa une seule question :

— Et maintenant, où irons-nous ?

— Je ne sais pas. Nous entrons dans un âge de ténèbres et je me demande s'il existe encore sur terre un lieu d'asile où l'on puisse vivre en paix.

Elle secoua la tête sur mon épaule pour manifester son désaccord.

— Il existe un pays qui répond à tes vœux. Il suffit que nous gagnions la côte. Nous y trouverons une barque de pêcheurs qui nous fera traverser la mer…

Elle vit qu'elle ne m'avait pas entièrement convaincu et passa le reste de la nuit à me décrire ce pays de rêve : la Cornouaille. Là où finit la terre. Là où le soleil meurt dans l'océan. De vertes collines où dansent les fées. Des forêts si profondes qu'elles abritent des dieux plus anciens que ceux d'Égypte. Des dieux qui vivent encore dans les rochers et le creux des arbres…

3

L'anneau des géants

Viviane ne m'avait pas menti. Le royaume de Bretagne et la Cornouaille qui en représentait la pointe extrême ne ressemblaient en rien aux provinces de l'Empire romain où j'avais vécu dans d'autres vies.

En Égypte, le pays qui m'avait vu naître, rien ne bougeait. Le poids des siècles affectait à peine les temples qui dressaient leurs silhouettes grandioses sous un ciel toujours bleu. Nos rois momifiés dormaient pour l'éternité dans leurs tombes d'un sommeil serein et nos dieux, dont les visages étaient gravés sur la pierre des pylônes et le fût des colonnes, faisaient, depuis la nuit des temps, les mêmes gestes sacrés afin que le soleil continue sa course et que le Nil continue à s'écouler paresseusement.

Ici, au contraire, c'était un pays de brume et de nuages changeants. Un pays de tempêtes, de pluie et de vents fouettant des côtes déchiquetées et des falaises à pic. La mer se brisait avec furie contre ces parois rocheuses qu'elle reprenait inlassablement d'assaut dans une explosion d'écume.

Ici, rien n'était stable. Rien n'était immuable. Tout n'était qu'apparence, illusion. C'était le royaume des ombres et de la magie.

La frontière entre le rêve et la réalité s'effaçait sans arrêt tout comme le monde des vivants semblait se mêler au monde des défunts. Passé, présent, avenir se confondaient. Ici, même la mort n'était pas une véritable étape sur le chemin de l'éternité. Elle n'était pas la fin, mais le milieu de la vie. Elle ouvrait un passage dans les deux sens entre ce monde et l'Autre Monde. Un Autre Monde qui ressemblait étrangement au nôtre tout en étant différent, car les plus valeureux y étaient promis à une nouvelle vie de bonheur dans des îles lointaines où la vieillesse et la maladie n'existaient plus et où l'on passait son temps à banqueter à l'ombre de pommiers chargés de fruits d'or.

Ici, les dieux étaient insaisissables et imprévisibles. Ils n'avaient ni corps ni visage.

Ils étaient de purs esprits qui habitaient les bois, les lacs, les montagnes et les tumulus. Ils prenaient cent noms différents et mille apparences trompeuses.

— Prends garde, m'avertissait régulièrement Viviane, si un sanglier te charge ou si un cerf bondit devant toi, c'est peut-être l'un d'eux… Ce corbeau est possiblement son messager et cette fleur d'aubépine qui vient de s'ouvrir a dû sentir sa présence invisible. Oublie ce que tu crois réel. Il se peut que ce rocher cache le palais d'une fée. Ce château que tu aperçois là-bas, méfie-toi, rien ne dit que, tout à coup, il ne va pas disparaître… Même moi, qui sait ?

— Toi ?

— Moi, je ne suis pas forcément celle que tu crois…

Après de longues recherches, j'avais finalement décidé que nous nous installerions à Stonehenge, au milieu d'une lande déserte où personne n'osait s'aventurer, car s'y dressait un étrange monument circulaire fait d'énormes mégalithes dressés que les habitants appelaient avec crainte « l'anneau des géants ».

D'après Viviane, ces pierres gigantesques venaient d'Irlande et c'était un puissant magicien qui les avait transportées par la voie

des airs pour former cette espèce de sanctuaire cyclopéen dont plus personne ne connaissait la fonction précise.

Ma compagne n'était pas entièrement d'accord avec mon choix. Je sentais bien qu'elle éprouvait un certain malaise, pour ne pas dire une peur superstitieuse, à habiter cet endroit. Surtout depuis que nous avions quitté la cabane grossière que j'avais d'abord bâtie pour nous installer dans une sorte de temple abandonné découvert un peu plus loin, en plein bois. Il faut dire que cette construction avait un aspect quelque peu sinistre. Il y avait d'abord, tout autour, ces chênes géants dont les troncs portaient encore des traces de sang séché, restes d'on ne savait quels sacrifices. Puis, il y avait les autres arbres entourant notre demeure. Des arbres si hauts eux aussi qu'ils formaient un dôme de verdure que la lumière du soleil avait peine à pénétrer. Il y avait aussi ces sculptures grimaçantes plantées un peu partout et, surtout, cette entrée monumentale formée d'une arche de pierre soutenue par deux piliers dans lesquels étaient creusées des niches contenant des crânes humains.

Quel culte effrayant avait-on célébré dans cet étrange sanctuaire ?

Quand nous revenions de nos cueillettes de champignons, de châtaignes, de noisettes, de prunelles et de pignons, Viviane ne manquait jamais de me rappeler qu'elle n'aimait guère ces vieilles pierres.

— Elles me donnent la chair de poule, ajoutait-elle. Et si elles étaient encore hantées par la grande Reine ou, pire, par Celui-qui-n'a-pas-de-nom[20]...

Je comprenais ses frayeurs, mais je lui expliquais également que c'était précisément le caractère impressionnant de cette retraite qui permettait d'espérer que nul ne viendrait jamais nous importuner. Lentement, j'arrivai à la convaincre et, au bout de quelques mois, elle commença à s'accommoder de ce genre de vie isolée du monde.

Naturellement, elle reprit ses anciennes habitudes de fille de la terre. Elle m'apprit à

---

20. La grande Reine est associée à la déesse-mère Dana ou Ana ou Belisama (la Très Brillante) ou encore Brigitte, la déesse en trois personnes qui apparaît sous la forme d'une femme-jument, de trois cygnes ou de trois grues. Celui-qui-n'a-pas-de-nom est le dieu universel des Celtes. Il veille à ce que l'orge germe, les vaches mettent bas et les guerriers soient victorieux. Même si l'on répugne à le nommer, les Irlandais l'appellent Donn le Ténébreux ou Dagda le Bienfaiteur. Pour les Gaulois, il est Sucellus, le dieu au maillet.

couper à la faucille le blé que nous semions. Elle me montra comment battre les gerbes à coups de bâton après avoir mis le feu aux épis pour séparer le grain de la balle. Nous eûmes bientôt un troupeau de moutons et de chèvres sauvages qui nous fournirent la laine et le lait. Pour faire la cuisine, Viviane trouva une marmite qu'elle me fit suspendre aux poutres de notre abri après que j'eus percé dans le toit un trou pour l'évacuation de la fumée.

Bref, peu à peu, je retrouvais le rythme de vie paisible auquel j'aspirais depuis si longtemps.

Le silence. Enfin le silence. Le merveilleux silence à peine troublé par le crépitement des flammes et le bruit du volant de pierre que faisait tourner Viviane quand elle filait, assise à mes côtés.

Est-ce le charme trompeur de cette vie si calme qui me poussa à oublier certaines promesses que je m'étais faites ? Notamment celle de ne plus jamais déployer le rouleau du livre de Thot ? C'est fort probable. Je dirais seulement pour ma défense que mes intentions étaient louables. Ce livre, bien sûr, pouvait semer la mort et déchaîner des tempêtes, mais ne contenait-il pas aussi la réponse aux questions que chaque homme se pose

lorsqu'il s'interroge sur sa place dans l'univers ?

Avec toutes les précautions nécessaires, je me remis donc à déchiffrer certains passages du papyrus sacré et j'acquis bientôt plus de connaissances qu'aucun être humain sur cette Terre. Quels risques y avait-il ? Aucun, me disais-je, puisque je n'avais pas l'intention d'utiliser la puissance magique qui m'était révélée…

Je n'imaginais pas combien j'étais dans l'erreur et combien j'allais regretter cette fatale imprudence.

Cela commença pourtant de manière bien innocente.

Il faisait nuit. J'étais justement en train de déchiffrer un passage du livre quand j'entendis des pleurs à l'extérieur. Le chat dressa ses oreilles et Viviane se leva pour aller voir de quoi il s'agissait.

Après un long moment, elle revint avec dans les bras un paquet de linge d'où s'échappaient des vagissements.

— Un bébé ! murmura-t-elle en berçant doucement l'enfant. Quelqu'un l'a déposé là-bas, au centre du cercle de pierres. Sa mère sans doute. Je pense que ce doit être la

coutume d'y placer les enfants dans l'espoir que les dieux les sauvent ou prennent soin d'eux.

Elle écarta les couvertures qui enveloppaient le petit être et s'inquiéta :

— Il a l'air malade… Il est tout bleu et il a de la difficulté à respirer.

Voyant que je ne réagissais pas, elle insista :

— Il faut faire quelque chose ! Tu dois le sauver. Tu sais les mots qui guérissent. Ils sont dans ton livre.

Le chat qui, pendant ce bref échange, n'avait pas cessé de tourner en rond et de fouetter l'air de sa queue, s'arrêta net et, dressé sur son séant, me regarda comme si lui aussi attendait ma décision.

Je ne pus que répondre :

— Oui, c'est vrai. Le livre peut guérir cet enfant. Mais, Viviane, il ne m'appartient pas. J'en suis seulement le gardien. Utiliser la formule que tu me demandes, c'est agir comme si j'étais un dieu moi-même. Et qui se substitue aux dieux s'expose à leur colère…

Viviane ne s'avoua pas vaincue pour autant.

— Tes dieux ne peuvent être offensés parce que tu utilises un peu de leur pouvoir

infini pour arracher des griffes de la mort un nouveau-né sans défense.

Cela peut sembler bizarre à qui ne partage pas les croyances des Égyptiens, mais ce ne fut pas cet argument qui eut raison de mes réticences. Ce fut plutôt le chat qui leva mes dernières appréhensions. En effet, à tort ou à raison, je n'eus qu'à voir l'éclat insoutenable de ses prunelles d'or pour être persuadé qu'à travers lui la grande déesse approuvait le geste que je m'apprêtais à accomplir.

D'un signe de tête, je fis comprendre à Viviane que j'étais d'accord.

L'aube déjà rosissait l'horizon. Elle prit le bébé qu'elle avait déposé sur la natte de jonc près du feu. Il n'émettait plus qu'un souffle rauque. Je déroulai au-dessus de lui la feuille d'or du livre sacré et, avec les précautions d'usage, je lus à voix basse sous l'œil du chat qui, tout au long de cette incantation, me fixa intensément de son regard de feu.

« Ô Bastet, œil gauche de Râ, donneuse de vie, dame de flamme, écoute ma prière ! Ô Bastet, déesse bienveillante, protectrice de l'humanité, détruis le mal affligeant cette fragile créature comme tu abats chaque nuit le serpent Apophis qui cherche à renverser

la barque du soleil. Ô Bastet, chatte bien-aimée, sauve cet enfant, protège-le comme tu protèges tous les enfants de la lumière. Ô Bastet, je t'en supplie, redonne-lui la joie et ne l'abandonne pas au milieu du chemin ténébreux où erre sa pauvre âme égarée. Je jure que cette demande restera dans le secret des dieux… »

Je me tus et attendis que la Grande Déesse se manifeste.

Viviane, qui avait levé les yeux pour regarder le ciel à travers l'orifice circulaire percé dans notre toit, s'inquiéta :

— Le soleil n'éclaire plus. Pourtant, il n'y a pas de nuages. On dirait qu'il fait nuit en plein jour.

Je sortis pour vérifier. Elle avait raison. Une grande ombre se glissait vers nous, portée par un vent glacial. Une ombre qui semblait avoir une forme vaguement humaine. Et cette ombre se faufila dans notre maison où elle souffla notre feu comme on souffle une bougie.

Viviane s'écria :

— C'est Elle ! C'est la Mort ! Elle vient chercher l'enfant ! Ta magie a échoué !

J'étais paralysé et je regardais moi aussi cette nuée menaçante qui maintenant enveloppait le bébé…

Tout semblait perdu, quand soudain se produisit une chose incroyable. Au milieu des ténèbres qui avaient envahi la maison, je vis flamboyer les yeux de notre chat.

Une lutte sauvage s'engagea. Jugeant qu'il n'était pas de taille à affronter la créature à laquelle il venait de s'attaquer, je voulus rappeler le malheureux félin :

— Non, Anty ! Reviens…

Je fus à peine surpris d'avoir utilisé ce nom. ANTY ! Ce ne pouvait qu'être lui. J'en étais sûr. Si ce chat était apparu dans ma vie, ce n'était pas un hasard. J'attendais un signe de la Grande Déesse. Eh bien, elle venait encore une fois de me répondre.

Et il se passa ce qui devait se passer. L'Ombre recula, comme aspirée hors de la hutte. Le feu de notre foyer se ralluma. Le soleil brilla de nouveau et, lorsque les premiers rayons de lumière inondèrent sa couche, l'enfant malade s'éveilla en poussant un long cri. Un cri de vie.

Viviane le prit et trouva un peu de lait de chèvre pour le nourrir. Le nourrisson but avec avidité puis s'endormit, rassasié.

Trois jours plus tard, elle l'enveloppa dans un châle de laine qu'elle avait tissé et, presque à regret, elle alla le déposer sur la pierre où

elle l'avait trouvé, en plein centre de l'anneau des géants.

— Je suis sûre que sa mère doit venir voir chaque jour si la magie de l'anneau des géants a opéré et si les dieux lui ont rendu son enfant guéri.

Quelques heures plus tard, elle retourna vérifier si le bébé était toujours là. Il avait disparu. Dans la neige, il y avait des traces de pas.

Jusque-là, nous avions soigneusement évité de rencontrer les villageois des alentours. La plupart habitaient en clans dans de misérables cahutes sur pilotis construites au milieu des marais. D'autres, pour se protéger, vivaient retranchés dans les restes d'anciens camps celtes nichés au sommet des falaises. Sans aucun doute, ils savaient depuis longtemps que nous étions là, mais jamais, jusqu'à ce jour, ils n'avaient osé s'approcher de nous et encore moins frapper à notre porte. Poussée par le désespoir, la mère de l'enfant agonisant avait été la première à briser cet accord tacite.

Ce fut Viviane qui, la première, remarqua le changement d'attitude des villageois des

environs. Cela commença par de discrètes visites nocturnes et le dépôt de modestes cadeaux. À la fin de l'hiver, ces offrandes prirent le plus souvent la forme de cruches remplies de lait laissées au pied des chênes entourant notre domaine.

Puis, au printemps et à l'été suivants, les visiteurs s'enhardirent et allumèrent des feux à la lisière de la forêt, nous offrant cette fois des bêtes à cornes et des paniers remplis de galettes.

Hélas ! Je me doutais bien de ce qui était en train de se passer. Ces pauvres gens avaient appris que nous avions miraculeusement guéri un enfant mourant. Ils en avaient conclu qu'un magicien ou un druide inconnu leur avait été envoyé et officiait de nouveau à Stonehenge.

La nouvelle s'était répandue dans le pays.

Bref, c'en était terminé de la tranquillité et, désormais, à tout moment, je m'attendais à voir surgir un cortège de suppliants venant solliciter mon aide et celle des anciens dieux qu'ils avaient crus disparus à jamais.

Vaine appréhension car en fait, pour notre grand bonheur, personne n'osa venir nous rencontrer directement et nos fidèles

adorateurs continuèrent à nous honorer de loin, toujours retenus par quelque terreur religieuse.

Cela resta ainsi pendant plusieurs années, jusqu'au jour où un homme viola à nouveau ce pacte.

Il arriva un soir appuyé sur un bâton d'if et si chargé qu'il tenait à peine sur ses jambes. Il était très âgé et Viviane l'invita à entrer tout en le soutenant pour qu'il ne s'affaisse pas sur le sol de terre battue. Il devait avoir marché longtemps à travers les bruyères et les genêts des landes de la côte, car sa robe blanche n'était plus que haillons et ses maigres mollets étaient griffés au sang.

Je l'aidai à se débarrasser de son lourd bagage, m'étonnant que cet inconnu, à bout de forces, se soit encombré inutilement d'une lance et d'un antique chaudron.

Des larmes dans les yeux, il me remercia en me serrant les mains avec une telle ferveur que je ne pus m'empêcher de penser qu'il me prenait pour un personnage important et qu'il avait fait tout ce chemin pour me rencontrer.

Viviane lui servit du bouillon chaud et Anty vint l'examiner avec suspicion.

Le vieillard, une fois son bol vide, se mit enfin à parler dans une langue que je ne comprenais pas. Un très ancien dialecte celtique.

Il s'exprimait avec lenteur, d'une voix chevrotante et devait s'interrompre souvent pour reprendre son souffle.

Viviane me traduisit de son mieux ce qu'il avait à me confier :

— Il s'appelle Myrddin. Il vient du Nord. Des frontières du pays des Pictes. Là où se dresse le mur d'Hadrien[21]. Il dit que les dernières garnisons romaines, déjà affaiblies par le départ du général Magnus Maxime, ont définitivement abandonné le mur et ses forts, laissant la voie libre à des nuées d'envahisseurs. La flamme dévorante de la guerre vient de se rallumer en Calédonie, dans le Kent et à l'embouchure de la Tamesis[22]. Partout, même en Cambrie[23]. Surtout depuis que l'infâme tyran Vortigern a appelé à l'aide des Saxons pour vaincre son irréductible

21. Longue muraille fortifiée que l'empereur Hadrien fit bâtir dans le nord de la Grande-Bretagne pour protéger le pays des Pictes. Construite en l'an 122, elle allait de l'embouchure de la Tyne au golfe du Solway. Certaines sections de ce remarquable ouvrage défensif subsistent encore.
22. Nom romain de la Tamise.
23. Ancien nom du pays de Galles.

ennemi Uther Pendragon. Bientôt, toute la Bretagne va s'embraser. C'est pourquoi il est venu vers toi.

Le vieil homme marqua une pause. Il était en sueur et, dans ses yeux, je lisais la sourde angoisse de celui qui craint de ne pas avoir la force de livrer l'entièreté de son message avant de rendre le dernier souffle.

Il reprit la parole mais, cette fois, Viviane le questionna à plusieurs reprises dans sa langue et se contenta de me résumer l'essentiel de ce qu'il débitait, en proie apparemment à un délire croissant.

— Je crois qu'il perd la tête, me prévint-elle. Il prétend qu'il est le dernier survivant des druides massacrés dans l'île de Mona[24]. Il dit qu'il est venu d'Irlande sur un nuage avec les quatre cents dieux de la tribu de Dana et qu'il a, comme toi, plus de mille ans. Mais il sait que son heure est arrivée. Il est persuadé qu'il est puni parce qu'il n'a pas su préserver l'ancienne tradition en laissant les moines chrétiens renverser les pierres et

24. L'île d'Anglesey. Les chefs romains, dont Suetonius Paulinus, vainqueur de la reine Boadicée (en l'an 61), puis Agricola (en 78), y firent massacrer tous les druides après avoir détruit le temple et les bosquets sacrés de ce haut lieu de la religion druidique.

abattre les bosquets sacrés pour y ériger leurs églises et y planter leurs croix. Il répète que tu es son seul espoir. Il connaît ton nom : Merlinus, ou plutôt Merlin. Mais il dit que ce n'est pas ton vrai nom. Sa baguette d'if lui a montré le chemin jusqu'à toi et, quand il a vu un faucon planer au-dessus de l'anneau des géants, il a su qu'il t'avait trouvé[25]. Il a appris que tu as renié le nouveau dieu, celui des chrétiens, et que tu es le dépositaire d'un livre qui fait de toi un puissant enchanteur. C'est pour toutes ces raisons qu'il a jugé que tu étais le seul à qui il pouvait confier, avant de mourir, les deux trésors qu'il a réussi à préserver: la lance de Lug et le chaudron de Dagda[26].

Les yeux révulsés et les lèvres tremblantes, le vieux druide s'exprimait avec de plus en plus de peine, si bien que Viviane dut se pencher sur lui pour recueillir les bribes de ce qu'il avait encore à confesser.

---

25. Le mot « Merlin » désigne également un petit faucon appelé aussi « émerillon ».
26. Dieu des batailles et des arts, doté de tous les talents, Lug possédait un javelot magique qui ne manquait jamais sa cible. Le chaudron de Dagda, ou chaudron de l'Annwin, était le récipient dans lequel les dieux celtes buvaient l'hydromel et la bière qui les préservaient de la mort.

Le vieillard murmura quelques mots puis sa tête bascula de côté.

Du bout des doigts, Viviane lui abaissa les paupières.

— Il est parti pour l'Annwin[27]. Que le navire de la Mort ait bon vent et qu'il l'emporte vers les îles Bienheureuses.

— Mais que t'a-t-il confié avant de mourir ?

— Que grâce à toi, la lance et le chaudron retrouveront leur pouvoir d'antan et qu'un grand roi régnera sur le royaume de Bretagne. Il a ajouté : « loué soit ton nom qui sera honoré pour encore mille années. »

— C'est tout ?

— Oui. D'ailleurs qu'importe ! Le malheureux est vraiment devenu fou.

— Pourquoi crois-tu cela ?

— Avant de rendre l'âme, il s'est adressé juste à moi…

— Et que t'a-t-il dit ?

— Il a dit que, moi aussi, j'aurais un rôle à jouer dans cette histoire, parce que… Parce que, d'après lui, bien que je sois persuadée de n'être qu'une simple mortelle, je suis en réalité… une fée !

27. L'Autre Monde.

4

Vortigern le tyran

Les sombres prédictions du druide dément ne se réalisèrent pas immédiatement. Par contre, ma réputation de magicien et de guérisseur se propagea rapidement bien au-delà du Wessex et de la Cornouailles si l'on en juge par les foules qui, chaque semaine, venaient déposer à l'orée de la forêt toutes sortes d'offrandes, de statuettes votives et d'animaux sacrifiés.

J'avais pourtant prévenu Viviane qu'il était périlleux de toucher à ces cadeaux et qu'il valait mieux ne pas s'aventurer hors des limites protectrices de la chênaie et du cercle des pierres sacrées. Elle, ne voyait pas le danger et, malgré mes mises en garde répétées, il lui arrivait de partir un panier sous le bras afin de profiter discrètement de cette manne sans cesse renouvelée.

Or, un jour de novembre, alors qu'un épais brouillard enveloppait la forêt, elle s'en alla et ne revint pas. Après l'avoir attendue en vain, je pris l'épée que j'avais rapportée de Gaule et me mis à sa recherche en compagnie d'Anty.

Il avait neigé la veille. La marque de ses pas était encore bien visible. Cette piste me mena à une clairière où, de toute évidence, il y avait eu lutte. Je pouvais même distinguer les traces des sabots de plusieurs chevaux.

Que s'était-il passé ?

Soudain, j'entendis des craquements provenant des buissons.

— Sortez de là ! ordonnai-je en tirant l'épée que je portais dans le dos.

Un lépreux au visage ravagé par la maladie sortit des broussailles et se jeta à mes pieds en implorant :

— Ayez pitié de moi ! Ayez pitié !

Je l'interrogeai :

— As-tu vu une jeune femme rousse ?

Affichant la plus grande frayeur, l'infirme, toujours prosterné devant moi, répondit :

— Oui, messire, des cavaliers à la solde de Vortigern l'ont enlevée. J'ai reconnu le dragon sur leurs étendards. Elle s'est débattue, mais le plus fort l'a prise par la tignasse et l'a mise en travers de sa selle…

— Et où l'ont-ils emmenée ? Parle et je te délivrerai de ton mal.

— Sans doute à Tintagel où le roi se fait bâtir un nouveau château…

Dès le lendemain, je quittai l'anneau des géants et pris la route des côtes galloises, emportant tout ce que j'avais de plus précieux, c'est-à-dire, outre le livre de Thot, la lance de Lug et le chaudron magique que m'avait donnés le vieux druide mourant. Anty, assez grand pour marcher sur ses pattes, me précédait, fouinant les herbes de son petit museau.

Il me fallut un certain temps pour m'habituer à la réaction des gens lorsque je traversais villes et hameaux. Des hommes baisaient avec dévotion le bas de ma tunique. Des femmes me présentaient à bout de bras leurs enfants dans l'espoir que je touche leur front. Partout sur mon passage, j'entendais des voix qui chuchotaient :

— C'est Merlin ! Merlin l'Enchanteur !

Parfois, fatigué, je m'arrêtais quelques jours dans les bourgades de Mercie[28] mises à sac par le tyran et ses mercenaires saxons.

28. Ancienne province d'Angleterre correspondant aux comtés de Stafford, d'Hereford et de Worcester.

Aussitôt, des foules se rassemblaient et, incapable de demeurer indifférent à leurs malheurs, je sortais en secret mon livre pour trouver quelque formule qui pourrait les soulager un peu. Ma réputation s'en trouva encore grandie et j'oubliais peu à peu qui j'étais vraiment pour assumer le rôle que tous ces déshérités voulaient absolument me voir jouer.

Et c'est ainsi que Séti l'Égyptien, fils de Sennéfer, devint Merlin, le Très Savant, l'homme du bois, grand enchanteur de Bretagne. L'homme qui redonnait l'espoir. L'homme qui ramenait la vie et faisait germer le blé en acceptant de grimper dans les chênes pour y couper, à l'aide d'une serpe d'or, les branches de gui qui portaient bonheur.

Un mois plus tard, j'arrivai enfin devant la presqu'île de Tintagel bordée de précipices vertigineux. Vortigern y surveillait en personne le chantier hérissé d'échafaudages de son futur nid d'aigle. À perte de vue, des milliers d'ouvriers charriaient des blocs énormes et les hissaient en haut d'un imposant donjon en construction. Il y avait également beaucoup de soldats en armes qui gardaient les lieux. Mais, ceux-ci, dès qu'ils me virent, s'écartèrent respectueusement, tout en tenant leurs lances pointées sur moi.

Contrairement à Anty qui émettait des feulements menaçants, je m'efforçai de conserver mon calme et me dirigeai vers les hauteurs où était dressée la tente du roi renégat au-dessus de laquelle flottait une oriflamme ornée d'un dragon blanc.

Assis sur un tapis de peaux de loups, Vortigern était en train de festoyer avec ses compagnons d'armes qui se passaient de main en main une corne à boire. Ils avaient tous des trognes rouges d'ivrognes et le vin dégouttait aux pointes de leurs longues moustaches. Le roi lui-même, encore plus ivre que les autres, dévorait à belles dents un cuissot de sanglier. Il beuglait, riait et ne cessait de se goinfrer que pour encourager le barde qui, derrière lui, improvisait à la harpe un long chant à sa gloire.

— Ah ! C'est toi ! éructa Vortigern. Je t'attendais. On dit que tu es un mage très puissant. Eh bien, tu vas pouvoir nous le prouver.

— Et si je refuse de te venir en aide ?

— La femme à laquelle tu sembles tant tenir mourra par ta faute.

— Que veux-tu dire, par ma faute ?

— Je vais t'expliquer... Tiens, bois ! C'est du vin d'Italie... Tu n'as pas soif ? Tant pis

pour toi… Vois-tu, depuis des mois je tente de construire cette citadelle qui témoignera de ma puissance et fera de moi le maître incontesté des sept royaumes de Bretagne. Mais, chaque fois que je dresse un pan de murailles ou que j'érige une tour, l'île se met à trembler et l'ouvrage s'effondre…

Comme par hasard, à l'instant même où le tyran prononçait ces mots, un violent tremblement de terre secoua le sol, forçant tous les occupants du pavillon de toile à sortir précipitamment. Ils eurent tout juste le temps de voir se fissurer un des bastions du château en construction dont les pierres basculèrent dans la mer au milieu d'un fracas terrible.

Le roi et ses compagnons de beuverie retournèrent aussitôt s'installer dans la tente.

— Tu vois ! constata Vortigern en vidant la corne de vin qu'il n'avait pas lâchée. J'ai embauché les meilleurs architectes et chaque fois ça recommence. J'ai consulté aussi un vieux cinglé de druide. Il m'a dit que dans la grotte que tu vois là-bas, sous l'isthme reliant Tintagel à la terre ferme, s'ouvre une grotte où se cache le dernier dragon de Britannia. C'est ce monstre malfaisant qui ruine tout ce que j'entreprends en ébranlant les fondations

de mon château. Or, je compte sur toi pour l'occire.

— Et pourquoi le ferais-je ? Quel rapport avec la femme que tu as enlevée ?

— Eh bien, figure-toi que j'ai fait enchaîner ta bien-aimée à l'entrée de la grotte. Tu n'as pas le choix : tu tues le dragon ou la bête dévorera ta douce compagne.

Le tyran s'arrêta, le temps de remplir à nouveau sa corne à vin qu'il vida d'un trait.

— Alors, qu'en penses-tu ? ajouta-t-il en titubant au point d'écraser à moitié Anty qui se défendit en lui griffant les jambes.

Furieux, Vortigern saisit alors un brandon dans le foyer au-dessus duquel rôtissait une grosse pièce de viande et menaça de brûler les moustaches du chat qui, cette fois, le mordit au poignet.

— Sale bête ! hurla-t-il. Si je t'attrape, je te fais écorcher vive !

Je n'avais jamais vu de dragon autrement qu'en image dans les manuscrits que j'avais recopiés en Gaule. Je pensais qu'il s'agissait de créatures purement fantastiques, imaginées pour effrayer le petit peuple.

Pourtant, cet être monstrueux existait bel et bien. Du haut de la falaise de craie où je m'étais posté pour observer sa tanière, j'entendais ses grondements provenant des entrailles de la terre et, surtout, je pouvais sentir son odeur pestilentielle.

J'avais mis une condition avant d'affronter le hideux reptile. J'exigeais d'être seul.

Lorsque je fus assuré que les ouvriers, le roi et son armée se furent bien retirés hors de ma vue, je sortis le livre de Thot de son étui et invoquai les dieux de la guerre et des ténèbres : Montou, Sekhmet la lionne et Seth qui souffle la tempête. Je leur demandai de communiquer leur force à mon épée et de redonner leur pouvoir magique à la lance et au chaudron du vieux druide.

Aussitôt, une nuée ardente illumina le ciel et un tourbillon de feu enveloppa ces trois objets qui devinrent si brûlants et si lumineux que je dus me protéger les yeux pour ne pas être aveuglé. L'épée était aussi incandescente que si elle était tout droit sortie du brasier de quelque forge céleste. La lance avait également subi un changement étonnant. Sa hampe vibrait entre mes doigts et son fer semblait vouloir s'envoler. Quant au chaudron, il s'était rempli tout seul d'une eau

bouillonnante et son métal terni brillait maintenant de l'éclat de l'or, laissant apparaître sur ses flancs des figures sculptées parmi lesquelles je reconnus plusieurs dieux celtes oubliés : Teutatès le guerrier, Taranis le lanceur de foudre, Epona la femme-cheval et Esus le destructeur.

Maintenant, je le savais, je pouvais affronter le dragon et, d'un pas décidé, je descendis vers la grotte où se terrait cette créature d'enfer.

Plus j'approchais, plus les grognements de l'animal étaient perceptibles.

Ce fut d'abord Viviane que je découvris. Elle était attachée par des chaînes à un gros rocher. Je lui criai :

— Viviane ! Viviane ! Je suis là !

Elle avait sans doute perdu connaissance car, la tête dodelinant sur le côté, elle gardait les paupières closes et restait sourde à mes appels.

Le dragon, lui, m'avait entendu et il sortit bientôt de son antre en ébranlant le roc de son pas pesant.

Griffu et couvert d'écailles, il était énorme. Au moins vingt coudées de haut. Un gigantesque serpent à crête rouge qui crachait le feu et qui déploya ses immenses ailes

membraneuses sitôt qu'il se fut extrait de son trou.

Dès qu'il me vit, le monstre se redressa à la manière des cobras d'Égypte et cracha sur moi un jet de flammes qui me causa une douleur si atroce que je dus, pour la soulager, courir me tremper le visage et les mains dans mon chaudron. L'effet fut instantané et non seulement la brûlure disparut, mais je me sentis envahi par une vigueur nouvelle qui me donna l'impression d'avoir la robustesse de dix hommes.

Mais il n'y avait pas une seconde à perdre car, pendant ce temps, l'infâme créature en avait profité pour s'attaquer à la pauvre Viviane qui venait justement de reprendre ses esprits. La bête était si près d'elle, gueule ouverte, que ma bien-aimée poussa un cri déchirant et se tordit au bout de ses chaînes pour tenter de se délivrer.

Même si j'étais encore trop loin pour porter au monstre un coup mortel, j'empoignai ma lance et la projetai de toutes mes forces. L'arme siffla dans les airs et, à ma grande surprise, elle s'enfonça dans la gorge du serpent géant qu'elle transperça de part en part.

Le dragon blessé s'enroula sur lui-même et donna des coups de queue si violents qu'ils ébranlèrent toute l'île, provoquant l'écroulement des restes du château qui la couronnait. La bête était blessée à mort mais, dans un dernier élan, elle fondit sur moi en claquant des mâchoires. Je bondis de côté et déjouai assez facilement cette charge désespérée. Puis, quand le monstre se retourna, prêt à lancer une autre attaque, je lui assénai un solide coup d'épée qui lui aussi fit merveille, car la lame trancha net la tête de l'animal qui roula à mes pieds.

Tout s'était passé très vite.

Ma première pensée fut pour Viviane qui, toujours enchaînée, les bras en croix, avait assisté à la scène, les yeux exorbités d'effroi. Sans perdre un instant, pataugeant dans le sang noir de la bête, je me précipitai à son secours.

Libérée de ses fers, elle s'affaissa dans mes bras et je dus la porter pour la ramener au camp de Vortigern. Quand elle reprit connaissance, elle avait toujours dans le regard cette expression figée par la peur que j'y avais lue au moment où le dragon s'apprêtait à l'assaillir.

Hélas ! Elle avait perdu la raison.

Vortigern, lui, était satisfait.

— Pourquoi ne m'as-tu pas rapporté la tête du dragon ? Elle aurait fait un magnifique trophée.

Il envoya à cet effet quelques hommes en direction de la grotte. Ceux-ci revinrent les mains vides.

La bête avait disparu !

Avait-elle seulement existé ? Rêve ou réalité ? Tout était possible.

Ce qui était bien réel, cependant, était que je venais de permettre à Vortigern d'achever en quelques mois sa citadelle maudite, dont le donjon orgueilleux se dressa bientôt comme un défi face à l'océan.

Heureusement, il ne profita guère de sa supériorité car, quelques semaines après avoir ramené ma malheureuse compagne à Stonehenge, j'appris une grande nouvelle. Le roi breton Uther Pendragon venait de soulever les tribus de toute la Cornouaille et de la Cambrie contre le tyran.

Je ne pouvais laisser passer cette occasion unique de me venger.

5

Uther Pandragon

Lorsque les guerriers d'Uther Pendragon apprirent que Merlin l'Enchanteur serait parmi eux lors de la bataille, ils poussèrent de grands cris de joie et firent sonner sur le front de l'armée les carnyx[29] à tête de loup et de sanglier dont les notes aiguës furent renvoyées par l'écho de colline en colline.

Uther Pendragon était un jeune chef de guerre qui devait son surnom au collier de dents de dragon qu'il portait au cou. Comme tous les Celtes qui l'entouraient, pour se donner un air plus farouche, il retroussait en forme de crinière de cheval ses cheveux enduits de craie. Quand il me reçut, il était déjà en train d'enfiler sa cotte de mailles et sa cuirasse de bronze doré.

---

29. Trompe celtique dont l'extrémité figurait une tête d'animal.

Il vérifia aussitôt une information :

— Est-ce bien vrai que tu as en ta possession le chaudron de Dagda ?

Je lui répondis qu'effectivement, j'en étais devenu le gardien.

Il parut ravi et pendant qu'on achevait de lui lacer son casque à cornes d'urus et de lui ajuster son bouclier orné de triskèles[30] et d'éclats de corail, il lança à la cantonade :

— Alors, nous ne pouvons qu'être victorieux ! Tu te tiendras en arrière de nos lignes. Tu feras boire mes hommes et tu laveras leurs plaies. On dit que, même avec un pied dans l'Autre Monde, si l'on parvient à te faire boire quelques gouttes de l'eau du chaudron, tu reviens à la vie…

J'avais déjà assisté à bien des combats au cours de ma longue vie, mais les Bretons ne pratiquaient pas l'art de la guerre comme les autres peuples, en partie parce qu'ils affichaient un souverain mépris de la mort.

30. Motif celte composé de trois branches terminées en forme de spirales.

C'est ainsi qu'à ma grande surprise, je constatai que la plupart des soldats d'Uther avaient décidé de se peindre le visage en bleu et de combattre entièrement nus à l'exception de leurs casques et des torques d'or qui enserraient leurs bras. En outre, au lieu de se jeter dans la mêlée au signal de leurs chefs, ils se livrèrent pendant de longues minutes à un curieux rituel d'intimidation. Les uns hurlaient des menaces, exhibaient les tatouages qui ornaient leurs corps ou montraient leur postérieur à l'ennemi. Les autres exécutaient des tours d'adresse pour montrer leur habileté au maniement des armes ou s'avançaient, le torse bombé, pour clamer des poèmes vantant les exploits de leurs ancêtres et affirmant leur volonté de mourir en héros après avoir décapité le plus possible d'ennemis.

Ces provocations terminées, la bataille débuta par un violent échange de projectiles : jets de gourdins, galets ronds lancés à l'aide de frondes et volées de flèches qui n'entraînèrent que sarcasmes de la part des Bretons, lesquels, par bravade, exposaient leur poitrine aux traits meurtriers.

En fait, il n'y eut pas de vraie bataille rangée, car celle-ci dégénéra rapidement en une série d'innombrables duels sanglants.

Uther lui-même, qui se tenait sous sa bannière royale brodée d'un dragon rouge, apostropha de loin Vortigern pour le défier en combat singulier.

Et les deux hommes se mirent aussitôt à ferrailler l'un contre l'autre avec une telle fougue que les deux armées, à l'exception des contingents saxons, cessèrent de lutter pour assister à l'affrontement mortel. Bientôt, les duellistes furent en sang mais, malgré leurs cottes de métal démaillées et leurs boucliers arrachés, ils continuèrent à se frapper d'estoc et de taille jusqu'à ce que, rompus de fatigue, ils ne soient plus capables de lever leurs épées devenues trop pesantes pour leurs muscles affaiblis. Au bout d'une heure, pourtant, Vortigern sembla prendre le dessus et asséna à son adversaire un coup si terrible qu'il lui ouvrit à moitié le ventre. Le blessé grimaça et posa la pointe de son arme au sol pour se maintenir debout pendant que, de son autre main, il retenait ses entrailles qui menaçaient de sortir de sa blessure béante.

— Laisse-moi juste boire. Je meurs de soif, implora Uther.

Vortigern acquiesça et, avec un sourire de triomphe, regarda son adversaire anéanti

se traîner jusqu'à moi. Le roi crachait le sang. Il était livide et avait déjà la mort inscrite sur le visage.

Je puisai l'eau dans le chaudron de Dagda et aidai le malheureux à y tremper les lèvres.

Comme par miracle la large estafilade par laquelle Uther se vidait tantôt de tout son sang se referma à une vitesse prodigieuse et le roi, après avoir englouti le reste du gobelet, se redressa tout revigoré, prêt à reprendre la lutte de plus belle.

À la vue de ce prodige, Vortigern pâlit et parut envahi par une terreur profonde qui lui fit bientôt tourner les talons pour fuir à cheval vers Tintagel, abandonnant ses soldats à leur sort.

L'hécatombe qui s'ensuivit me rappela de tristes souvenirs et c'est avec une horreur indescriptible qu'à la fin du jour, je vis venir à moi le roi Uther. Il avait au poing deux têtes fraîchement coupées de chefs saxons.

— Je les offrirai à Bélénos. Puis je les ferai recouvrir de feuilles d'or et m'en servirai comme coupes à boire. À moins que je les fasse embaumer et qu'elles aillent rejoindre dans mon coffre de cèdre celles déjà tranchées par mes aïeux.

Uther remarqua ma moue dégoûtée. Il s'en étonna :

— Comment, druide, tu sais bien, comme moi, que c'est l'usage !

J'avais pensé échapper à la barbarie en m'exilant au-delà des mers. Elle me poursuivait partout et venait de me rejoindre.

Une semaine plus tard, nous étions de nouveau devant la forteresse de Tintagel où Vortigern s'était enfermé, bien décidé à soutenir un long siège.

J'avais cru naïvement qu'Uther Pendragon, *dux bellorum*[31] et grand défenseur des Bretons, serait contre l'envahisseur saxon un souverain plus magnanime que l'infâme Vortigern l'avait été contre les Bretons.

Ce ne fut pas le cas.

À l'instar du tyran déchu, le roi Uther, quand il n'avait pas l'épée à la main, passait son temps lui aussi à ripailler au cours de banquets bruyants, lesquels se terminaient souvent en rixes sanglantes alors que les

31. Chef de guerre.

invités ivres se disputaient pour savoir qui aurait l'honneur de recevoir telle cuisse ou telle patte du porc[32] qui rôtissait à la broche.

Du coup, le siège de Tintagel s'éternisait.

Puis, un jour, en plein festin, un cri retentit :

— Le château flambe !

Nouvelle incroyable qui, en quelques instants, attira une bonne partie de l'armée bretonne sur les falaises dominant l'île fortifiée où, effectivement, la citadelle de Vortigern était dévorée par les flammes, lesquelles crevaient déjà ses toits et faisaient éclater ses pierres.

Uther était là, lui aussi, et ce spectacle de toute évidence le réjouissait.

— Les dieux sont avec moi ! N'est-ce pas, mon cher Merlin ? Nous n'aurons même pas à capturer ce rat de Vortigern ! Qu'il grille et que le vent disperse ses cendres !

Comme de raison, on attribua ce terrible incendie à une nouvelle intervention magique de ma part.

---

32. Chez les Celtes, l'octroi de telle ou telle pièce de viande obéissait à tout un jeu de préséance. Le roi avait droit à la première tranche de filet, ses compagnons recevaient des morceaux de la cuisse. Les nobles de moindre importance devaient se contenter des pattes et des bas morceaux.

Moi seul savais parfaitement qu'il n'en était rien. Le responsable de ce feu mystérieux ronronnait près de moi en quête de caresses. Il avait le poil roussi et venait de réapparaître au bout de plus de deux jours d'absence. C'était Anty. Anty qui avait dû s'introduire dans le château au cours d'une de ses rondes nocturnes. Anty qui avait sans doute renversé un chandelier ou une lampe à huile. Les flammes s'étaient alors communiquées aux tentures puis avaient embrasé les plafonds pour ensuite ravager les planchers et les charpentes des toits, ce qui avait provoqué cet immense brasier au sein duquel Vortigern et ses derniers fidèles hurlaient, transformés en torches vivantes.

Le tyran mort et l'envahisseur saxon repoussé à la mer, je souhaitais pouvoir enfin retourner vivre en paix auprès de Viviane pour qui je m'inquiétais au plus haut point.

Uther était d'accord, à une seule condition.

— Tu dois auparavant m'aider à soumettre le duc Gorlois de Cornouailles. C'est le dernier chef de clan qui refuse de me

reconnaître comme son souverain. Après, tu seras libre. Je t'en fais serment…

J'eus la crédulité de croire en sa parole et acceptai à contrecœur de suivre l'armée jusqu'à la place forte de ce Breton rebelle.

Érigée sur un promontoire dominant la mer, la forteresse de Gorlois paraissait encore plus inexpugnable que Tintagel.

Uther eut beau faire venir des machines de guerre, des tours mobiles, des catapultes, des balistes et de puissants béliers. Il eut beau bombarder les remparts de boulets de pierre et de plomb et faire pleuvoir sur les chemins de ronde des projectiles enflammés : au bout de quatre mois, les fortifications résistaient toujours.

Uther devint alors enragé et, chaque jour, défiant les flèches que les défenseurs lui décochaient, il s'avançait sous les murs pour injurier le duc Gorlois qui, à son tour, montait aux créneaux pour lui crier qu'il n'avait pas peur de lui.

— Gorlois, rends-toi, grondait Uther. Sais-tu combien d'ennemis j'ai déjà occis ? Autant qu'il y a de grains de sable dans la mer, autant qu'il y a d'étoiles dans le ciel, de flocons de neige en hiver et de feuilles dans les arbres en été. Rends-toi, sinon ta tête sera

bientôt fichée à la pointe de ma lance et mes chiens se disputeront les restes de ta carcasse !

— Oui, c'est ça, vante-toi, persiflait le duc. Jamais tu ne viendras à bout de mes murailles. Dans cent ans, tu seras toujours là. Les squelettes de tes soldats blanchiront la plaine et tomberont en poussière. Quant à toi, ta barbe sera tellement longue qu'elle fera sept fois le tour de ton trône…

Parfois, la duchesse Ygerne se tenait aux côtés de son époux. Ses cheveux blonds flottant au vent, elle était d'une grande beauté et Uther était si profondément troublé par les apparitions de cette femme qu'il en perdait le fil de ses invectives.

Je comprenais d'ailleurs la fascination du roi pour cette femme qui avait en outre la réputation d'être très cultivée et dotée d'un grand discernement. Autant de qualités faisant totalement défaut à Uther, qui n'était que violence et impétuosité.

Plusieurs mois s'écoulèrent et, bien sûr, les assiégés ne tardèrent pas à manquer d'eau et de nourriture. Ils commencèrent par chasser de l'enceinte les femmes, les enfants et toutes les bouches inutiles à nourrir. Puis, craignant les fièvres et la pestilence, ils jetèrent du haut des murs les cadavres de ceux qui,

chaque jour, mouraient de faim. Au sixième mois, enfin, les portes s'ouvrirent et le duc tenta une sortie désespérée.

Uther tailla en pièces les Cornouaillais et, quand tout fut terminé, il tint à me montrer la tête de son coriace adversaire en s'écriant :

— Celle-là, je la suspendrai à la porte de mon palais.

Il fut certainement déçu que je ne le complimente pas et plus déçu encore lorsque je lui annonçai :

— Puisque le duc est mort, te voilà roi sans partage. Tu n'as plus besoin de moi. Je partirai donc demain…

Uther parut cette fois vivement contrarié. Il jeta la tête dans un coin et me supplia de l'écouter sur le ton humble de celui qui espère obtenir une ultime faveur.

— Certes, le duc n'est plus, mais son château n'est toujours pas mien et sa femme ne m'en donnera pas les clés. La seule façon de terminer cette guerre est de faire usage de ruse.

— Et à quoi penses-tu ?

— Grâce à tes pouvoirs magiques, donne-moi l'apparence du duc Gorlois. Cette nuit, je revêtirai sa cotte de mailles, je monterai son cheval et je me présenterai à la poterne

de son château. Dame Ygerne, qui ne sait pas que son mari a été tué, pensera qu'il est de retour et m'ouvrira…

— Et que feras-tu à cette femme quand elle t'aura livré la place ?

— Rien de mal, je te le jure.

Il croyait sans doute être sincère. De mon côté, j'eus le tort de penser qu'il traiterait Ygerne avec respect, puisqu'il en semblait fou amoureux. Je dois avouer que l'idée m'avait même traversé l'esprit qu'une fois cette guerre terminée et la mort du duc oubliée, il aurait pu lui faire la cour et, pourquoi pas, un jour, l'épouser afin qu'elle donne à la Bretagne un héritier alliant à la fois la force de son père et la sagesse de sa mère.

Mais le cœur des hommes est un abîme sans fond où les belles promesses sombrent dans l'oubli. Celui d'Uther était encore plus ténébreux et plus rempli de mensonges.

Bref, les choses ne se passèrent pas comme je l'avais espéré.

Je fis ce qu'Uther m'avait demandé et je déroulai à nouveau le papyrus sacré de Thot

pour y chercher la funeste formule qui transforma instantanément Pendragon en sosie du duc.

La nuit suivante, alors que toute son armée était endormie, Uther se présenta devant les portes du château où je l'entendis appeler doucement :

— Ygerne ! Ygerne, ma bien-aimée, ouvre ! C'est moi...

Et les lourdes portes ferrées s'entrouvrirent sans bruit...

Ce qui se passa ensuite reste un mystère qu'une nuit sans étoiles recouvrit de son voile.

Mû par un sombre pressentiment, j'attendis toute la nuit le retour d'Uther. Il faisait une chaleur moite et le chant des grenouilles se mêlait au bruissement léger des feuilles. Il y avait dans l'air comme un parfum enivrant de fleurs, de mousse et de sueur. Mes yeux se fermèrent et, sans que je sache trop si je rêvais ou pas, je me vis entrer à mon tour dans le château. Tous les soldats étaient assoupis à leur poste. Je montais silencieusement l'escalier en colimaçon jusqu'au dernier étage du donjon. J'entendais des halètements et des soupirs. En haut de l'escalier s'ouvrait une chambre éclairée par des torches. J'y pénétrais sur la pointe des pieds.

Sur une couche de fourrures, deux corps nus étaient enlacés. Un homme et une femme. Uther et Ygerne. La duchesse rejetait sa tête blonde en arrière en murmurant : « Mon amour ! » Uther, sous les traits de Gorlois, la possédait brutalement et se releva sans dire un mot…

Moi, je voulais parler… Je voulais me réveiller, crier à Uther : « Monstre, que fais-tu ici ? Est-ce en commettant ce crime odieux que tu penses conquérir l'amour de cette femme ? » Mais je me sentais victime de mon propre charme. J'étais paralysé, demeurant le témoin impuissant de ce viol ignoble. Puis, happé de nouveau par cette scène trop vraie pour être un simple rêve, je voyais Uther se rhabiller et ceindre son épée sans remarquer le rideau de la chambre qui se soulevait doucement, découvrant une enfant qui se frottait les yeux. La fille du duc : Morgane.

— Retourne te coucher, lui disait Ygerne en cachant de son mieux sa nudité.

— Qui est le monsieur ? demandait la fillette.

— Voyons, c'est ton père !

— Non, ce n'est pas lui !

Je savais que tout ceci n'était qu'un songe. Pourtant, j'avais la certitude que lorsque

j'allais me réveiller, je constaterais, hélas, que les choses s'étaient déroulées exactement comme je l'avais rêvé.

Cette fois, je ne m'étais pas trompé…

Cette forfaiture ne porta pas chance au roi Uther Pendragon qui mourut neuf mois plus tard de manière tragique.

C'est le roi lui-même qui, avant de rendre l'âme, me raconta comment le destin lui fit payer ses égarements.

Rongé de remords, il avait appris que dame Ygerne, à la suite de cette nuit tragique, était devenue enceinte et qu'après avoir fui en un endroit secret, elle était revenue en son château pour y mettre au monde un garçon.

Cette nouvelle l'avait consolé, car s'il avait perdu à jamais l'amour de la femme qu'il convoitait, il savait au moins qu'il avait un fils, prénommé Arthur, dont il pourrait faire son successeur pour la plus grande gloire de la lignée des Pendragon.

Uther était donc allé réclamer l'enfant à la veuve inconsolable du duc Gorlois. Or, contrairement à toute attente, personne ne s'opposa à sa venue au château. Il monta dans la chambre de la duchesse. Ce qu'il vit alors

le frappa en plein cœur. Ygerne gisait sur son lit, sa chemise maculée de sang séché. Elle était morte en couches depuis déjà plusieurs jours.

Au côté du lit se tenait Morgane qui berçait le nouveau-né.

Uther voulut arracher son fils des bras de la fillette. Celle-ci défendit son petit frère. Le bébé se mit à pleurer.

— Sais-tu bien qui je suis ? gronda Uther.

— Oui, sois maudit ! Tu es celui qui a tué mon père !

Le roi écarta alors Morgane d'un violent revers de son gantelet de fer et sortit de la chambre avec Arthur.

Mais, à peine eut-il franchi le seuil de la pièce qu'il ressentit une vive douleur dans le dos. Il se retourna. Morgane était là, un couteau à la main. Il y avait du sang sur la lame. Le sang du roi.

Le récit d'Uther n'alla pas plus loin. Le roi était devant moi, à bout de forces, et souffrait atrocement. En plein hiver, il avait chevauché pendant trois jours pour m'amener Arthur à l'anneau des géants. L'enfant était aussi mal en point. Même si Uther avait pris soin de l'enrouler dans son manteau, le bébé avait le visage bleui par le froid.

Viviane le prit et, tout heureuse d'avoir à s'occuper à nouveau d'un petit être sans défense, elle s'approcha du feu pour le nourrir et le bercer pendant que le roi achevait sa confession.

— ... La pointe du poignard était empoisonnée. Cette gamine est une petite sorcière. Je vais mourir, Merlin. Je te confie mon fils. Tu l'élèveras et tu essaieras d'en faire un roi meilleur que moi...

À ces mots, tout son corps se cambra puis retomba lourdement.

Il venait d'expirer.

Quand j'y repense, je me demande parfois pourquoi il n'a pas insisté pour que je le sauve. J'en avais le pouvoir. La réponse est pourtant simple : je crois qu'il ne voulait plus vivre ou, plutôt, qu'il espérait, dans l'au-delà, aborder les rives enchantées de l'île d'Avalon pour y revoir la belle Ygerne aux cheveux d'or et, après avoir obtenu son pardon, jouir en sa compagnie d'une éternité de bonheur.

En attendant ce jour, Uther repose dans la tombe que j'ai creusée non loin de l'anneau des géants, là où le soleil se couche et enflamme deux mégalithes du monument sensés représenter la porte de l'Autre Monde.

6

L'épée et l'enclume

À la mort d'Uther Pendragon, la Bretagne fut à nouveau plongée dans une longue période de chaos. Pictes, Jutes, Angles et Saxons revenus en force l'attaquèrent de toutes parts, s'appropriant les meilleures terres et repoussant les Bretons désunis jusque dans les montagnes et jusqu'au bord de l'océan.

Naturellement, le fléau de la guerre et des invasions barbares ramena aussi des flots d'affligés et de porteurs d'offrandes à la lisière de la forêt entourant l'enclos sacré de Stonehenge.

J'étais maintenant Merlin, l'homme du chêne, le dernier druide vivant, dépositaire des savoirs anciens transmis depuis quinze

mille lunes[33]. Mais, depuis mon retour dans l'anneau des géants, je n'étais plus le seul à recueillir la ferveur populaire, car la rumeur avait essaimé partout que je vivais désormais en compagnie d'une fée.

Cette fée couronnée de fleurs qu'on voyait parfois danser à la lumière de la lune et parcourir la lande en compagnie d'un chat et d'un enfant blond, c'était Viviane.

Viviane n'avait pas vraiment recouvré la raison, mais elle avait accédé en quelque sorte à un autre niveau de conscience où seules comptaient la beauté des collines et la limpidité des eaux du lac tout proche où elle aimait se baigner nue.

Viviane était donc devenue la bonne Dame du Lac. Elle cueillait des plantes pour guérir. Elle parlait aux oiseaux. Elle lisait l'avenir dans la forme des nuages ou les ronds que fait un caillou jeté dans l'eau.

Nous passions de longues heures ensemble. Le soir, elle s'asseyait près de moi et, la tête sur mon épaule, regardait le ciel.

— Merlin, comment s'appelle cette étoile ?

---

33. Les Celtes calculaient le temps par mois lunaires (29 jours) et ne comptaient pas en jours mais en nuits, le mois se divisant selon les phases de la lune en quinze nuits claires et quinze nuits obscures.

— Sirius, dans la constellation du Chien. Les Égyptiens la nomment Sothis[34]. C'est la plus brillante et, quand elle apparaît, la terre devient plus fertile et les récoltes plus abondantes.

— Et tu en connais d'autres ?

— Oui, il y en a des milliers[35] et elles sont toujours en mouvement, sauf celles-là. Les Impérissables... Elles indiquent le nord[36].

Parfois, Viviane disparaissait pendant plusieurs jours et revenait chargée de brassées de plantes. Avec une curiosité enfantine, elle voulait que je lui en apprenne les vertus.

— Celle-ci, lui expliquai-je, c'est du houx, symbole d'éternité parce qu'il reste toujours vert. Attention, ça pique ! Celle-là, c'est de l'herbe d'or[37]. Elle te rendra riche et puissante

34. Nom grec de la divinité Sôpdit.
35. Il y a entre 2000 et 3000 étoiles visibles à l'œil nu dans chaque hémisphère.
36. Seules les étoiles circumpolaires semblent fixes. À l'époque de Séti, le nord était indiqué par l'étoile Draconis ou Thuban. Aujourd'hui, c'est l'étoile Polaire (Polaris), dans la Petite Ourse, qui assume cette fonction.
37. L'herbe d'or, ou sélage, est une des plantes sacrées des druides. C'était une sorte de mousse ayant une action purgative. Elle ne devait pas être coupée, mais cueillie à la main.

à condition que tu la cueilles à la main avec soin. Quant à celle-là, prends garde : c'est l'herbe d'oubli ! Il ne faut pas marcher dessus. Tu ne retrouverais plus ton chemin...

J'aimais sa douce folie qui était étonnamment empreinte d'une forme de sagesse innocente et de bonté que je rêvais en vain d'atteindre moi-même.

À vrai dire, ce n'était pas Viviane qui me causait le plus de soucis. C'était le jeune Arthur. Il avait grandi et, malgré les protestations de ma compagne, il avait bien fallu que je l'empêche de continuer à courir les bois et les champs pour qu'il commence à recevoir une éducation digne d'un futur roi.

Comme je l'espérais, il possédait plusieurs des qualités requises pour faire un souverain accompli. Il était de haute taille et très robuste, il avait l'air altier et l'œil vif.

Ainsi donc, j'entrepris de lui enseigner le grec et le latin. Je lui appris à écrire et à compter, à jouer au fidchell[38] et à tirer à l'arc. Je tâchais de mon mieux de former son esprit en discutant avec lui des plus grands philosophes sans jamais oublier de lui rappeler les conseils des sages comme le vénérable

38. Jeu d'échecs celte joué avec des chevilles de bois.

Ptahhotep[39] : « Grande est la vérité et elle seule trace le chemin droit… Toute conduite doit être conforme au fil à plomb. Surtout, ne sois pas imbu de ce que tu as appris. Converse avec l'ignorant comme avec le sage car, souviens-toi, aucune limite ne peut être fixée au savoir et une parole juste peut sortir aussi bien de la bouche d'un roi que d'une petite esclave qui travaille à la meule… »

Arthur m'écoutait en soupirant, les coudes sur la table et les mains plaquées sous le menton. Seulement, dès que la matière l'ennuyait, il se mettait à bâiller ou à taquiner Anty jusqu'à ce que je le rappelle à l'ordre.

— Arthur, tu dois être plus sérieux si tu veux être à la hauteur de l'illustre destinée qui t'est réservée !

Viviane intercédait généralement en sa faveur :

— Laisse-le, il est encore si jeune…

Et Arthur en profitait pour m'amener à parler de sujets qui l'intéressaient davantage. Par exemple, il voulait savoir qui était son père et, tout en jouant avec les dents du collier

39. Vizir sous le règne du pharaon Djedkarê Isési de la Ve dynastie (2400 av. J.-C.), auteur d'un *Livre des maximes*, ouvrage clé de la sagesse égyptienne.

dont je lui avais fait cadeau en souvenir d'Uther, il m'assaillait de questions :

— Est-ce vrai qu'il a tué cent dragons ?

— On le dit.

— Pourquoi refuses-tu de me révéler son nom ?

— Je te le dirai quand le temps sera venu.

Il n'aimait pas qu'on le contrarie et se mettait alors à bouder ou bien courait se réfugier sur les genoux de Viviane qui le consolait en le couvrant de baisers, en l'épouillant et en le coiffant longuement à l'aide de son peigne d'ivoire[40].

C'était cela qui me préoccupait. Arthur avait beau être un enfant intelligent, je pouvais bien m'efforcer de développer chez lui la droiture, le sens de l'équité, la générosité, la bravoure et l'humilité : trop souvent il me montrait qu'il avait hérité des défauts de son père, notamment un penchant à la violence et une impulsivité qui risquaient de ruiner tous les espoirs que j'avais fondés en lui.

C'est ainsi qu'un jour, je le surpris en train de manipuler mon épée et de mimer un duel

40. S'épouiller mutuellement ou épouiller les enfants était une activité familiale traditionnelle du Moyen Âge.

avec un adversaire invisible. Il faisait tournoyer l'arme au-dessus de sa tête et accompagnait chacun de ses gestes de cris qui imitaient les bruits de l'acier grinçant sur le métal d'une armure ou sifflant dans l'air :

— Exxx-ca-a-a-liiii-burr !

Il était évident qu'il avait l'étoffe d'un grand guerrier et je ne pus m'empêcher d'admirer son extrême dextérité avant de lui ôter l'épée en le sermonnant :

— Arthur, tu sais qu'il est interdit d'y toucher !

Il baissa la tête et parut sincèrement se repentir de sa désobéissance mais, peu après, je le vis esquisser des moulinets avec un bâton et apaiser sa rage en fauchant les fleurs ou en faisant tomber les nids d'oiseaux des arbres.

Pendant ce temps, loin de Stonehenge, les conflits armés faisaient rage plus que jamais et opposaient à présent les clans bretons dont chaque chef revendiquait la couronne de Bretagne.

J'étais, hélas, bien conscient que si l'un d'eux apprenait son existence, Arthur serait en grand danger.

Il avait maintenant douze ans. C'était presque un homme[41].

Grand, l'esprit vif, il semblait avoir enfin le contrôle de ces pulsions destructrices qui l'envahissaient autrefois et je n'étais pas loin de penser que j'avais bel et bien réussi à faire de lui le prince idéal.

À le voir cependant, personne n'aurait pu deviner qu'un sang royal coulait dans ses veines. Les cheveux coupés droit sur le front et une tunique de peau de mouton sur le dos, il avait plutôt l'air d'un paysan un peu gauche, plus habitué à traire les chèvres qu'à enfourcher un puissant cheval de guerre.

La question que je me posais était donc : comment faire reconnaître les droits de mon protégé ? Qui croirait que ce jeune homme à l'air maladroit était bien le fils d'Uther Pendragon ?

Il me vint alors une idée pour forcer les aspirants au trône à accepter le fait qu'Arthur était bien l'élu des dieux et le seul héritier légitime du défunt roi.

---

41. À douze ans, un garçon quittait les siens et apprenait le métier des armes dans une autre famille.

Je savais qu'une foire importante allait bientôt se tenir à Londinium[42] et que toute la noblesse bretonne s'y rassemblerait pour participer à un grand tournoi.

Après avoir consulté le livre de Thot pour me permettre d'exécuter mon plan, je pris le chemin de la ville, déguisé en simple mendiant.

Il y avait beaucoup de monde sur les routes, mais personne ne remarqua l'épée de Mars que j'avais dissimulée sous mes haillons.

À Londinium, la foule devint encore plus grouillante et j'eus de la difficulté à franchir les ponts pour me rendre au champ clos où devaient avoir lieu les joutes de l'après-midi.

Les bannières des grandes familles claquaient au vent et, autour des champions inscrits, s'affairaient des armées de valets, d'écuyers et d'armuriers. Le plus occupé parmi ceux-ci était évidemment le forgeron, un hercule à barbe rousse qui, non loin d'un dolmen en ruine, battait sans arrêt les lames des épées ou réparait les pièces des cottes de mailles et des armures qu'on lui apportait.

Il faisait une chaleur accablante. J'attendis que le colosse en sueur s'éloigne de son

---

42. Londres.

brasero pour aller se désaltérer et, sitôt que je fus seul, je m'emparai de son enclume et la hissai bien en vue sur la table monumentale du dolmen. Je sortis alors l'épée de Mars de dessous mes oripeaux et récitai l'incantation que j'avais lue dans le papyrus sacré.

Aussitôt, l'épée fut parcourue de flammèches électriques et se mit à flamboyer au point que son métal sembla se changer en un pur rayon de lumière aveuglante. Alors, aussi aisément que si je l'eus plongé dans de l'eau, je l'enfonçai jusqu'à mi-lame dans l'enclume.

Il ne manquait plus maintenant que tout le monde comprenne ce message. Pour cela, toujours grâce à la magie du livre, je traçai dans les airs du bout des doigts une série de mots et, sur-le-champ, l'inscription suivante se grava en lettres de feu dans le granit du monument :

Quiconque retirera cette épée
de l'enclume sera,
de plein droit,
roi de toute l'île de Bretagne...

Une fois ce travail accompli, je repris immédiatement mon rôle de mendiant et, tout en agitant ma sébile, j'observai ce qui allait se produire.

Le résultat dépassa mes attentes. Dès le retour du forgeron, un attroupement se forma et des cris répandirent l'incroyable nouvelle :

— Miracle ! Miracle ! Les dieux nous ont envoyé le moyen de savoir qui sera notre futur roi. Venez voir ! Venez voir !

Déjà quelques audacieux s'empressaient d'empoigner l'épée avant les autres et tiraient dessus de toutes leurs forces. Sans résultat.

Bien entendu, dès qu'ils en furent avertis, les seigneurs en armes écartèrent la gueusaille et chacun voulut montrer qu'il était l'homme désigné par la mystérieuse prédiction.

Léodagan, roi de Carmélide[43], fit la première tentative, s'agrippant solidement à la poignée et forçant à s'en faire éclater les veines du cou pour dégager la lame. La mort dans l'âme, il dut renoncer et céder sa place au suivant.

À son tour, l'imposant Conan de Powys s'attela à la tâche en poussant des rugissements terribles et en tendant tous ses muscles sans pouvoir davantage faire bouger l'épée, ne serait-ce que d'un millimètre.

43. De nos jours, la région de Maël-Carhaix en Armorique (Bretagne française).

— Faites place ! Vous allez voir comment s'y prend un vrai homme ! fanfaronna le duc Fergus qui avait la réputation d'être assez fort pour soulever un cheval sur ses épaules.

Le nouveau candidat grimpa sur le dolmen, cracha dans ses mains, puis se cala solidement les pieds au sol avant de tirer, lui aussi, comme un bœuf.

— Par tous les dieux, jura-t-il, c'est impossible ! Cette épée est ensorcelée et nul ne parviendra jamais à l'extirper de ce satané bloc de fer !

Effectivement, après lui, aussi bien Bran[44] d'Orcanie, surnommé le Corbeau, que Gradlon d'Armorique et les plus valeureux chefs de clan, tels Hoël de Gwynedd, Conoc de Wyd et son arrogant cousin Finn de Glamorgan, échouèrent dans leur tentative d'extraire l'épée de sa gangue de fer. Même ceux qui eurent recours aux procédés les plus déloyaux, par exemple en frappant sur l'arme à coups de marteau ou en jetant dessus de grosses roches, n'arrivèrent à rien.

44. En celte, ce prénom signifie « corbeau ».

Des jours s'écoulèrent. Des semaines. Des mois. Des années. L'épée resta plantée là, comme un défi lancé aux plus orgueilleux qui, pendant ce temps, rageaient de ne pouvoir réclamer la couronne sans passer pour des usurpateurs.

Les pluies d'automne s'abattirent sur l'épée. La neige la recouvrit. Le lierre et le liseron s'enroulèrent autour de sa lame, mais elle brillait toujours d'un éclat sans pareil. Si bien qu'au fil des saisons, elle devint un objet de vénération et de crainte pour le petit peuple qui passait devant en baissant la tête et en pressant le pas.

Arthur avait maintenant seize ans et, sans qu'il le sache, l'heure de la vérité avait sonné pour lui.

Je le fis venir et plaçai mes mains sur ses épaules pour lui annoncer:

— Arthur, aujourd'hui est un grand jour. Fais tes adieux à Viviane et dis au revoir à Anty. Je t'emmène à la ville…

— En ville?

— Oui, à Londres où se tient la foire annuelle.

— Et qu'allons-nous y faire ?

— Remplir une vieille promesse que j'ai faite à ton père. Il est temps que je te révèle enfin qui tu es vraiment... Tu es Arthur de Bretagne, le fils du défunt roi Uther !

Sur la route, nous rencontrâmes un groupe de chevaliers portant de rutilantes armures et des lances de tournoi.

À la tête de ce cortège chevauchait un vieillard et un adolescent en qui je reconnus sire Hector et Keu, son benêt de fils, qui avait déjà participé sans succès à l'épreuve de l'épée et de l'enclume.

Je fis signe au vieil homme que je désirais lui parler. Il immobilisa sa monture et me salua avec respect à la vue de ma robe blanche et de mon bâton de druide.

— Que veux-tu ?

— Je m'appelle Merlin et j'aimerais que vous preniez ce jeune garçon avec vous. Il est de sang noble et brûle d'apprendre le métier des armes...

Hector acquiesça avec empressement.

— C'est un honneur pour moi, puissant Merlin... Je prendrai soin de lui. Il servira

comme page auprès de mon fils qui doit participer au tournoi. Quel est le nom de ton protégé ?

— Arthur.

— C'est un beau prénom, mais ce jeune homme semble encore bien fluet pour le porter avec honneur[45].

Arthur me dévisagea, éberlué.

— Mais, Merlin…

— Fais ce que je te dis. Suis ce noble seigneur et que ton destin s'accomplisse. Je n'ai plus rien à t'apprendre…

Arthur m'embrassa et je le serrai dans mes bras avant de le regarder se joindre à la petite troupe de sire Hector.

La suite, vous la connaissez probablement, car elle a été contée de mille façons et fait désormais partie de la légende… Elle vaut pourtant la peine d'être racontée à nouveau en rapportant les événements tels qu'ils se sont réellement produits.

Il était onze heures du matin. Dans l'arène, plusieurs chevaliers s'étaient déjà affrontés.

45. Arthur signifie « l'ours » (en breton : arz).

Keu, le fils d'Hector, avait mordu plusieurs fois la poussière et, lors de son dernier combat, son casque avait été si cabossé qu'il avait fallu faire appel au forgeron pour le lui retirer. Il était furieux et tenait à sa revanche. Un appel de cor annonça la prochaine joute. Il regarda autour de lui.

— Mon épée… Où est mon épée ? Je l'ai oubliée dans ma tente !

Suprêmement agacé, il désigna Arthur.

— Toi, le nouveau, va me la chercher et fais vite ou je t'étripe !

Arthur partit en courant, mais à peine eut-il gagné la rive du fleuve où se dressaient les pavillons des participants au tournoi qu'il s'arrêta net en se tapant le front : il avait oublié de demander laquelle était la tente de sire Hector. Était-ce la rouge avec l'étendard figurant une hure de sanglier ou la blanche ornée de rouelles et de tribans[46] ?

Désemparé, il jeta un coup d'œil circulaire et aperçut le dolmen surmonté de l'enclume.

---

46. La rouelle est un ornement en forme de roue. Le triban est un symbole celtique fait de trois lignes qui convergent sans se rencontrer. Ces trois lignes représentent la force, la sagesse et l'amour associé à la beauté (en breton : *Nertz, Skiant, Karantez*).

D'un bond, il grimpa sur la plus haute pierre et, sans le moindre effort, retira l'épée qui y était scellée. Puis, toujours en courant, il regagna la lice où Keu, bouillant d'impatience, l'attendait le pied à l'étrier.

Arthur, tout essoufflé, lui remit l'arme.

Keu ouvrit de grands yeux.

— Où as-tu pris cette épée ?

Arthur s'excusa.

— Je l'ai trouvée là-bas, prise dans une enclume. Mais c'est une bonne épée, je vous le jure. Je la connais d'ailleurs : elle appartenait à maître Merlin…

— Tu la connais ?

— Oui, j'ai joué avec lorsque j'étais enfant. Je l'appelais Ex-ca-li-bur ! Je suis désolé, je n'ai pas trouvé la vôtre. Je ne me souvenais plus de quoi avait l'air votre tente…

À ce moment, sire Hector survint, lui aussi en grand courroux.

— Qu'attends-tu ? dit-il à son fils. La foule s'impatiente. Ton adversaire est déjà en place. Tu… Tu…

Sire Hector devint tout pâle et porta la main à son cœur.

— L'épée ! Tu as réussi ! Comment as-tu fait ?

Keu, visiblement dépassé par les événements, ouvrit la bouche sans pouvoir articuler quoi que ce soit de compréhensible.

Il n'en allait pas de même de son père qui se précipita au milieu du champ clos et réclama le silence à larges gestes.

— Oyez la grande nouvelle, messeigneurs. Mon fils a retiré l'épée de l'enclume ! Mon fils est votre nouveau roi !

Cinq minutes plus tard, bien évidemment, cent chevaliers, comtes, ducs et chefs de clans de tous les royaumes de Bretagne entouraient le malheureux fils d'Hector qui se tortillait de gêne. Ne perdant pas de temps, les plus serviles le félicitaient chaleureusement. Par contre, les plus orgueilleux ne cachaient pas leur désappointement. Beaucoup échangeaient même des regards incrédules. Bref, l'affaire aurait sans doute mal tourné si le roi Léodagan ne s'était pas fait le porte-parole des mécontents.

— Hector, personne n'a vu ton fils retirer l'épée. Il ne sera roi que si nous sommes tous témoins de son exploit.

— Et que suggères-tu ?

— S'il a réussi une fois à ôter l'épée, il doit être capable de le refaire sous nos yeux.

Hector leva le bras pour ramener le calme.

— Nous acceptons.

— Mais, père…, supplia Keu.

Le fils d'Hector aurait bien voulu échapper à l'humiliation publique. Hélas, pour lui, c'était trop tard. Malgré ses protestations, on l'entraîna de force vers le dolmen qu'il dut escalader pour faire face à la foule.

Des cris fusèrent :

— L'épée ! L'épée !

Keu baissa la tête et avoua piteusement en montrant du doigt Arthur :

— Ce n'est pas moi qui l'ai libérée… C'est lui !

— Lui ? reprit sire Hector en posant la main sur la tête du jeune page. Tu veux dire que c'est ce jouvenceau qui a réussi cette incroyable prouesse ?

— Oui, père ! confirma Keu, l'air penaud.

— S'il dit vrai, qu'il lui donne l'épée, nous verrons bien ! hurlèrent plusieurs voix.

— Oui, qu'il monte sur la pierre et nous montre comme il est costaud ! Dix pièces d'or qu'il n'y arrive pas ! parièrent d'autres spectateurs.

Et, poussé de toutes parts, avant d'avoir pu se rendre compte de ce qui lui arrivait, Arthur se retrouva à son tour au sommet du dolmen.

Keu lui tendit la lourde épée. Il faillit l'échapper, ce qui provoqua les rires narquois

des sceptiques. Mais, se ressaisissant bien vite, il serra l'arme à deux mains, la leva lentement au-dessus de sa tête puis la pointa vers le sol.

Soudainement, les milliers de curieux qui se pressaient autour de l'autel de pierre firent silence.

Alors, Arthur prit une grande inspiration et abattit l'épée en criant : « Excalibur ! » Celle-ci s'enfonça si profondément dans l'enclume qu'elle la traversa complètement.

Des oh ! d'étonnement montèrent de l'assistance et lorsque Arthur, avec la même facilité, retira de nouveau l'épée et la brandit triomphalement, ce fut une immense clameur qui s'éleva :

— Nous avons un nouveau roi ! Vive Arthur, roi de Bretagne !

Oui, c'est ainsi que les choses se sont déroulées. Je le sais. J'étais là, au milieu du peuple en liesse, partageant moi aussi l'espoir que, ce jour-là, venait de s'ouvrir une nouvelle ère de paix et de justice.

7

L'épée brisée

Je ne revis pas Arthur pendant plusieurs années.

À l'abri de l'anneau des géants, bien protégé par l'aura de mystère entourant toujours l'endroit, je vivais enfin en paix.

En revenant dans ces bois sacrés, mon premier geste fut d'ailleurs d'enterrer sous un des énormes mégalithes le chaudron de Dagda et la lance de Lug afin qu'à l'avenir nul ne puisse jamais les utiliser à de mauvaises fins.

Ce fut l'une des rares époques heureuses de ma trop longue vie. Viviane passait des heures en ma compagnie. Moi, j'approfondissais mes connaissances des grands mystères de l'univers, ne puisant dans le livre dont j'avais la garde que ce qui ne présentait aucun

danger ou pouvait servir à faire progresser l'humanité.

Viviane prenait beaucoup de plaisir à m'écouter psalmodier mes formules et à me voir tracer dans les airs des signes cabalistiques. Parfois, elle répétait mes mots et imitait mes gestes. Tant et si bien que, sans le vouloir vraiment, elle finit par acquérir elle aussi des pouvoirs étonnants que, dans sa grande innocence, elle ne songeait à utiliser que pour exprimer son amour infini pour les gens, les bêtes, les fleurs et tout ce qui vivait autour d'elle.

Un oiseau mourait de froid : elle le recueillait au creux de ses mains et lui soufflait délicatement dessus pour lui redonner vie. Un buisson d'aubépine perdait ses fleurs : elle le faisait reverdir. Un lac se couvrait de brume, elle en chassait les nuées d'un revers de la main et le soleil brillait de nouveau sur ses eaux.

Toujours souriante, un rien l'étonnait. Un rien l'amusait et j'enviais son insouciance.

— Montre-moi un de tes tours de magie..., me murmurait-elle à l'oreille en me couvrant de baisers. Merlin, sois gentil. Apprends-moi...

Et pour lui faire plaisir, je lui faisais apparaître des châteaux juchés sur des nuages ou

je lui offrais les jouets les plus fabuleux : une cape qui rendait invisible, une harpe d'or qui jouait seule de merveilleuses musiques tantôt gaies, tantôt tristes selon l'humeur de qui lui commandait, un panier d'osier qui se remplissait à volonté de fruits provenant des quatre coins de la Terre, un jeu d'échecs dont les pièces se déplaçaient sans qu'on y touche.

Elle était ravie, mais l'instant d'après elle perdait sa bonne humeur et me demandait, les larmes aux yeux :

— Où est Arthur ? Je m'ennuie de lui...

Je la consolais de mon mieux en lui disant qu'il était devenu un grand roi. Il était désormais Arthur l'Ours, Arthur le Sanglier de Bretagne. Et, comme tous les rois, sa charge le tenait très occupé. Je lui décrivais Camelot, le nouveau palais aux tours d'or et aux portes de bronze où il s'était installé avec sa cour et la reine Guenièvre qu'il venait d'épouser.

— Est-elle belle ? me demandait Viviane, un brin de jalousie dans la voix.

— Moins belle que toi, mon amour…

Je lui narrais également les glorieux faits d'armes d'Arthur. Les douze batailles qu'il venait successivement de remporter dans le Wessex, l'Essex et le Sussex contre l'éternel envahisseur saxon. Sans oublier la confrérie

de vingt-quatre valeureux chevaliers au cœur pur dont il avait eu la sagesse de s'entourer : Lancelot, fils du roi Ban, Yvain, le Chevalier au Lion, Gauvain, le fils de Lot, Bohort, Gaheriet, Perceval le Gallois, Palomides, le Sarrasin, et Bédévère, l'échanson manchot. La fine fleur de la chevalerie. Tous dévoués à leur roi jusqu'à la mort. Tous égaux, comme l'avait souhaité Arthur qui les réunissait autour d'une gigantesque table ronde afin que nul ne puisse réclamer la préséance ni envier son voisin.

— Quand viendra-t-il nous rendre visite ? se plaignait Viviane en caressant Anty, couché à ses pieds.

— Hélas ! Je l'ignore… Un jour peut-être…

Ce jour tant souhaité par la bonne Dame du Lac se présenta à l'automne quand le cortège royal arriva à Stonehenge en grand équipage, précédé d'une meute de chiens, de piqueurs et de rabatteurs. Arthur revenait d'une grande chasse au sanglier. Armé d'un épieu, il portait une armure d'or et un manteau de pourpre. Derrière lui se tenait la reine Guenièvre, vêtue de brocarts et couverte de

riches bijoux d'ambre. Elle était elle-même suivie d'une cinquantaine de cavaliers arborant également de somptueux costumes et montant des chevaux richement harnachés.

À dire vrai, je n'avais jamais vu un tel étalage de luxe.

— Bonjour Merlin ! s'écria joyeusement Arthur. Bonjour Viviane ! Que je suis heureux de vous revoir !

J'étais à ce moment au milieu d'une bande de gueux et de malades qui étaient venus me consulter dans l'espoir que je les soulage de leur misère et de leurs divers maux.

Arthur manifesta vite son impatience de devoir les coudoyer et d'un geste les fit chasser sans ménagement.

Il aperçut alors Anty qui se chauffait au soleil.

— Comment, tu as encore ce vieux chat pelé ?

Anty, qui souffrait de rhumatismes, se remit péniblement sur ses pattes mais, lorsque le roi se baissa pour le flatter, notre félin découvrit ses crocs.

Arthur recula vivement.

— C'est qu'il me grifferait, cet animal !

Viviane, pendant ce temps, s'avança, bras tendus, vers le jeune roi qu'elle enlaça

affectueusement sous les regards plutôt hostiles de la reine Guenièvre.

— Comme tu as changé ! s'exclama la Dame du Lac. Tu as grossi ! Et avec cette barbe, je ne t'aurais pas reconnu…

Je trouvais, moi aussi, qu'Arthur s'était beaucoup transformé. Sa familiarité et sa désinvolture n'étaient pas exemptes d'une certaine arrogance et je n'aimais pas la façon méprisante dont il regardait les pauvres hères repoussés loin à l'écart mais qui continuaient malgré tout à se bousculer pour entrevoir leur légendaire souverain.

Le roi Arthur se fit apporter un siège et s'assit en plaçant son épée – l'épée de Mars – entre ses jambes. Il vit que j'avais remarqué l'arme et la glissa hors de son fourreau pour me la faire admirer.

— J'ai fait graver une nouvelle inscription sur sa lame et fait ajouter deux dragons d'or à sa garde. Elle se nomme maintenant Excalibur, la bien tranchante[47], et elle a vail-

---

47. Selon une autre étymologie, le nom « excalibur » viendrait du latin *chalybs* qui veut dire « acier » ou du gallois *caledwlch* et du breton *Kaledvoulc'h* qui signifieraient « dure entaille » ou « taillefer ».

lamment besogné pour la plus grande gloire de la Bretagne !

Encore une fois, je ressentis une impression désagréable. Il y avait une sorte d'orgueil malséant dans cette manière de montrer à tous cette épée qui l'avait miraculeusement élevé au-dessus des simples mortels.

— Lancelot ! J'ai soif ! Apportez-moi du vin ! ordonna-t-il à un grand guerrier aux cheveux longs qui tenait la jument de la reine par la bride.

— Oui, Majesté ! répondit le chevalier en courant vers les chariots de bagages afin de satisfaire la demande royale.

Arthur vida sa coupe d'un trait et la tendit de nouveau à un autre seigneur de sa suite qui, avec le même empressement servile, la remplit aussitôt.

Je compris bientôt que cette visite inattendue n'en était pas une de simple courtoisie. Arthur avait une requête à me présenter.

Il finit par lâcher le morceau.

— Ma demi-sœur Morgane et son fils Mordred complotent contre moi. Ils ont fait alliance avec les puissances des ténèbres et propagent sur moi d'horribles calomnies.

— Et quels mensonges sèment-ils ?

— Morgane est une vraie sorcière. Elle m'accuse d'avoir abusé d'elle et prétend que l'infâme Mordred est en fait mon propre fils…

Je fixai Arthur droit dans les yeux.

— Et il n'y a rien de vrai dans ces accusations ?

Arthur baissa la tête, l'air coupable, réagissant, l'espace d'un instant, comme un enfant pris en faute. Mais il retrouva vite son aplomb et se dressa soudain pour me dire sur un ton presque impérieux :

— J'ai besoin que tu m'aides comme jadis tu as aidé mon père à abattre le tyran Vortigern. J'ai besoin de ta magie. Tu es Merlin, grand enchanteur de Bretagne. Ton nom seul inspire le respect. Joins-toi à moi et il glacera mes ennemis d'effroi. Brandis à mes côtés la lance de Lug, laisse mes guerriers boire dans le chaudron de Dagda et dans la guerre qui se prépare, je deviendrai invincible !

La guerre ! Encore la guerre ! Depuis des siècles, je n'avais entendu que ce mot hurlé par des millions de bouches. L'idée que les dieux puissent une fois de plus être mis au service de la folie des hommes m'était non seulement insupportable, mais elle me faisait carrément horreur.

Devant mon silence obstiné, Arthur comprit que je ne suivrais pas ses armées et qu'il ne pourrait avoir recours aux forces surnaturelles pour triompher de ses ennemis.

Je m'attendais à ce qu'il ressente un certain dépit face à mon refus, cependant, je n'aurais en aucun cas imaginé l'explosion de violence que ma détermination allait provoquer.

Arthur en effet devint écarlate et, ivre de colère, vociféra :

— Je suis roi de droit divin. Ton roi ! Tu me dois obéissance. Je veux la lance et le chaudron ! Où les caches-tu ? Merlin, n'abuse pas de ma patience !

— Tu ne les auras pas ! Personne ne les retrouvera jamais ! Ce sont des objets trop dangereux pour les remettre entre des mains humaines. D'ailleurs, si les dieux les ont abandonnés, n'est-ce pas qu'eux-mêmes étaient las de la guerre ?

Arthur n'écoutait plus rien. Il fulminait et, au comble de la fureur, il eut un geste insensé. Il leva son épée et fit mine de vouloir me frapper avec.

Je ne bronchai pas, bien que je vis dans ses yeux une lueur de folie. La même que j'avais vue s'allumer dans le regard de son père quand le désir et l'orgueil l'égaraient.

Heureusement, ce fut Viviane qui intervint et retint son bras en se plaçant entre nous deux.

— Arthur ! Non ! Tu es devenu fou !

À ce cri, le roi sembla retrouver ses esprits, mais sans que sa rage ne s'éteigne pour autant. Alors, au lieu d'assouvir sa colère en me fendant le crâne, il abattit Excalibur sur un rocher tout proche avec une telle force que la lame de l'épée se brisa net en deux morceaux.

Aussitôt, le roi parut reprendre contact avec la réalité comme on sort d'un mauvais rêve.

Hébété, il regarda l'arme brisée dont il avait encore un tronçon dans la main.

— Excalibur..., gémit-il. Qu'ai-je fait ?

Regretta-t-il immédiatement ce geste insensé ? Voulut-il en effacer jusqu'au souvenir ? Je ne sais.

Toujours est-il que je le vis ramasser l'autre fragment et se rendre jusqu'au lac voisin où il les jeta.

Ensuite ?

Ensuite, Arthur revint sur ses pas, l'air accablé et, quand il vit que ses chevaliers consternés l'observaient en silence, il poussa un long soupir comme terrassé par la défaite :

— Amenez-moi mon cheval ! Nous rentrons à Camelot.

8

Le rêve de Merlin

Le roi Arthur de Bretagne disparut de ma vie durant encore de nombreuses années.

Parfois, j'apprenais par la bouche d'un bûcheron, d'un fagotier[48] ou d'un humble charbonnier qu'il guerroyait dans le nord contre les Pictes. Un autre jour, on me rapportait qu'il était en route pour Snowdon afin de mettre hors d'état de nuire le fameux géant Ritho qui se vantait de porter un manteau tissé avec les poils de barbe de tous ceux qu'il avait tués.

Or, chaque fois que j'entendais parler de lui, un détail me frappait. Les gens du peuple, les simples « rustiques[49] », autrefois si admiratifs quand ils évoquaient le nom

48. Ramasseur de bois mort.
49. Gens de la campagne.

d'Arthur, ne faisaient plus allusion à lui qu'avec une certaine crainte alimentée par de sombres rumeurs.

On colportait en effet à travers le royaume que, depuis que le roi avait brisé Excalibur, les dieux s'étaient détournés de lui. En outre, il avait eu beau envoyer les plus braves chevaliers aux quatre coins du pays pour retrouver le chaudron et la lance magiques, tous étaient revenus bredouilles, nouvelle preuve de la désaffection divine.

Alors, doutant de sa propre foi, on racontait qu'Arthur avait demandé l'aide de moines irlandais afin de savoir quels péchés il avait pu commettre pour que ses efforts demeurent vains. Ces religieux fanatiques qui renversaient les menhirs, brisaient les idoles et abattaient les arbres sacrés lui avaient expliqué qu'en fait, il avait échoué parce qu'il ne cherchait pas le bon chaudron et la bonne lance. D'après eux, les vrais objets de la quête devaient être le Graal et la Sainte lance rapportés de Palestine par un certain Joseph d'Arimathie… Deux trésors inestimables qui procureraient l'immortalité à qui les retrouverait. Le Graal était la coupe dans laquelle avait été recueilli le sang du Christ. La Sainte lance était le pilum dont le légionnaire Longin s'était servi pour

achever les souffrances de cet homme mort sur la croix que les chrétiens tenaient pour être le Messie et le Sauveur du monde.

Arthur avait cru ces exaltés et ordonné aux derniers preux qui lui étaient restés fidèles de retrouver à tout prix ces reliques insaisissables gardées on ne savait où par un roi mourant dans un mystérieux château qui s'évanouissait comme un mirage dès qu'on pensait toucher ses murailles.

Combien de braves étaient morts dans cette folle équipée ? Combien avaient laissé aux corbeaux leurs squelettes encore prisonniers de leurs armures rouillées ? Combien, découragés d'avoir mené pendant des lustres cette vaine recherche jusqu'aux confins du monde connu, avaient fini par tourner bride et étaient repartis chez eux pleins de désespoir ?

En un mot, tout le monde semblait s'être lassé des lubies du roi. Même sa propre femme, l'altière Guenièvre, l'avait trahi et s'était enfuie, disait-on, sur le continent avec Lancelot, le plus brave des chevaliers devenu son amant.

Dans ces conditions, il n'était pas surprenant que les ennemis d'Arthur, profitant

de l'affaiblissement de l'autorité royale, aient recommencé à s'agiter. Les pillages avaient repris. Plusieurs tribus s'étaient révoltées avec à leur tête Mordred, le fils de Morgane, qui avait rallié les insurgés et dressé une formidable armée.

Bref, à en croire tous ces bruits, la Bretagne était perdue.

Que pouvais-je y faire ? C'était trop tard et j'étais excédé de ce climat d'anarchie permanente auquel j'avais contribué sans le vouloir. J'avais vu des empires s'effondrer et des rois autrement plus puissants qu'Arthur entraîner dans leur chute des millions d'innocents. Fallait-il que je me rende complice d'un nouvel holocauste maintenant que mon rêve de paix s'était évanoui ?

Non. Il n'y avait plus pour moi qu'une seule solution. Partir. Quitter l'île. Peut-être m'embarquer pour l'Armorique comme de nombreux Bretons avaient déjà commencé à le faire. C'était une terre vierge, couverte de forêts impénétrables. Une *terra incognita*[50] où je pourrais, au moins pendant un certain temps, vivre loin des turpitudes et de ce

50. Terre inconnue. Terme latin désignant une région inexplorée.

penchant au mal qui n'arrêtent jamais d'agiter l'âme humaine.

Il me restait à convaincre Viviane de me suivre. Tâche difficile car, depuis ma dramatique rencontre avec Arthur, elle errait comme une âme en peine, trouvant le plus souvent refuge au bord du lac où elle avait coutume de se baigner.

C'est là que je décidai d'aller lui parler.

Une surprise m'y attendait.

Le lac était si calme que pas une ride ne déformait le miroir parfait de ses eaux cristallines. Viviane n'avait pas l'air d'être là. Anty, qui m'avait emboîté le pas, se mit cependant à miauler pour me signaler la présence d'un intrus.

Sur l'autre rive, en effet, un cavalier tout de noir vêtu venait de descendre de cheval et s'était agenouillé pour boire.

L'homme avait la stature ainsi que le port d'un noble et je ne pus m'empêcher de constater que sa silhouette avait quelque chose de familier.

Je remarquai également qu'il avait dû chevaucher longtemps, car son destrier était blanc d'écume.

L'inconnu se pencha pour avaler une gorgée d'eau fraîche et, même s'il se trouvait loin de moi, je l'entendis murmurer :

— Viviane ! Ô toi, douce Dame du Lac, me pardonneras-tu mes fautes ? Auras-tu pitié de moi ?

Il se pencha encore un peu plus et, à peine ses lèvres effleurèrent-elles les eaux du lac, que celles-ci frémirent puis commencèrent à bouillonner comme si une créature aquatique remontant des profondeurs allait crever la surface.

Ce qui apparut me figea de surprise : un bras sortit lentement de l'eau. Un bras de femme qui tenait, pointée vers le ciel, une épée magnifique plus étincelante que jamais : l'épée de Mars, ou plutôt Excalibur, sa lame miraculeusement ressoudée et flamboyante comme au jour où le jeune Arthur l'avait brandie pour la première fois devant le peuple de Bretagne.

L'homme de l'autre côté du lac avait assisté, lui aussi, à l'apparition surnaturelle de ce bras armé.

Il entra dans l'eau jusqu'à la taille et prit l'épée que la délicate main lui abandonna sans résister. Puis il regagna le haut de la berge et, au moment de remonter en selle, il

abaissa le chaperon qui lui enveloppait la tête.

Il regarda dans ma direction et m'adressa un signe de la main.

C'était Arthur.

Était-ce Viviane qui avait décidé ainsi de venir en aide une dernière fois à celui qu'elle considérait toujours comme son fils ? Jamais elle ne voulut m'en faire l'aveu.

Jamais non plus je ne revis le roi Arthur. On dit qu'il est mort, peu de temps après, à la bataille de Camlann, près de Salisbury, tué par Mordred. On dit aussi qu'avant sa mort, il ordonna qu'un de ses chevaliers[51] jette à nouveau son épée dans le lac et l'on raconte que la même mystérieuse main de femme s'en saisit au vol avant de s'enfoncer avec dans les eaux. D'autres prétendent qu'Arthur n'est pas mort. Qu'il est seulement blessé et que trois fées l'ont emporté sur un grand navire qui a fait voile vers l'île d'Avalon d'où il reviendra, une fois guéri, pour sauver la Bretagne.

51. Bédévère, l'échanson et fidèle serviteur d'Arthur.

On dit tant de choses. Tant de mensonges qui ne sont pas vraiment des mensonges, mais seulement de dérisoires tentatives pour embellir la réalité afin de supporter un peu mieux le vide insoutenable de nos tristes existences.

Je suis si loin de cela maintenant et il y a tant de siècles que tout ceci est arrivé.

Car cette fois, je pense avoir enfin trouvé le havre de paix que je cherchais tant. Il est en Armorique, bien caché au cœur de la forêt de Brocéliande, en un lieu appelé le Val-sans-retour. Viviane, finalement, m'y a rejoint. Pour elle, j'ai recouru une dernière fois à la magie et fait sourdre de terre une source qui est censée lui assurer une éternelle jeunesse.

Nous sommes heureux, d'un bonheur hors du temps. Je lui ai proposé de lui enseigner tout ce que je savais. Tous mes secrets et même quelques-uns de ceux contenus dans le livre de Thot.

Tout autre que la Dame du Lac aurait abusé de ce pouvoir. Mais pas elle.

Dans sa douce folie, Viviane est trop sage. Elle a compris que le véritable savoir se moque des livres. Si bien que la seule question qui la préoccupe et qu'elle me pose et repose

chaque jour, en caressant notre vieux chat, est celle-ci :

— Tu m'aimes toujours ?

— Oui, tant que je serai près de toi…

Cette réponse la satisfait mais, pour être bien sûre que je ne la quitterai jamais, elle a trouvé un moyen qui m'a fait sourire. Profitant de mon sommeil, elle a tracé autour de moi, sur le sol, un cercle magique invisible qui est censé me retenir prisonnier près d'elle.

Et depuis ce temps, je ne la quitte plus. Je dors ma tête sur ses genoux.

Je rêve.

Fasse que je ne me réveille jamais.

TABLE DES CHAPITRES

Daniel Mativat

Né le 7 janvier 1944 à Paris, Daniel Mativat a étudié à l'école normale et à la Sorbonne avant d'obtenir une maîtrise ès arts à l'Université du Québec à Montréal et un doctorat en lettres à l'Université de Sherbrooke. Il a enseigné le français pendant plus de 30 ans tout en écrivant une cinquantaine de romans pour la jeunesse. Il a été trois fois finaliste du prix Christie, deux fois du Prix du Gouverneur général du Canada et une fois pour le prix TD. L'auteur habite aujourd'hui Laval.

COLLECTION CHACAL

1. *Doubles jeux*
   Pierre Boileau (1997)
2. *L'œuf des dieux*
   Christian Martin (1997)
3. *L'ombre du sorcier*
   Frédérick Durand (1997)
4. *La fugue d'Antoine*
   Danielle Rochette (1997) (finaliste au Prix du Gouverneur général 1998)
5. *Le voyage insolite*
   Frédérick Durand (1998)
6. *Les ailes de lumière*
   Jean-François Somain (1998)
7. *Le jardin des ténèbres*
   Margaret Buffie, traduit de l'anglais par Martine Gagnon (1998)
8. *La maudite*
   Daniel Mativat (1999)
9. *Demain, les étoiles*
   Jean-Louis Trudel (2000)
10. *L'Arbre-Roi*
    Gaëtan Picard (2000)

11. *Non-retour*
Laurent Chabin (2000)

12. *Futurs sur mesure*
collectif de l'AEQJ (2000)

13. *Quand la bête s'éveille*
Daniel Mativat (2001)

14. *Les messagers d'Okeanos*
Gilles Devindilis (2001)

15. *Baha-Mar et les miroirs magiques*
Gaëtan Picard (2001)

16. *Un don mortel*
André Lebugle (2001)

17. Storine, l'orpheline des étoiles
volume 1 : *Le lion blanc*
Fredrick D'Anterny (2002)

18. *L'odeur du diable*
Isabel Brochu (2002)

19. *Sur la piste des Mayas*
Gilles Devindilis (2002)

20. *Le chien du docteur Chenevert*
Diane Bergeron (2003)

21. *Le Temple de la Nuit*
Gaëtan Picard (2003)

22. *Le château des morts*
André Lebugle (2003)

23. Storine, l'orpheline des étoiles
volume 2 : *Les marécages de l'âme*
Fredrick D'Anterny (2003)

24. *Les démons de Rapa Nui*
Gilles Devindilis (2003)

25. Storine, l'orpheline des étoiles
volume 3 : *Le maître des frayeurs*
Fredrick D'Anterny (2004)

26. *Clone à risque*
Diane Bergeron (2004)

27. *Mission en Ouzbékistan*
Gilles Devindilis (2004)

28. *Le secret sous ma peau*
de Janet McNaughton, traduit de l'anglais
par Jocelyne Doray (2004)

29. Storine, l'orpheline des étoiles
volume 4 : *Les naufragés d'Illophène*
Fredrick D'Anterny (2004)

30. *La Tour Sans Ombre*
Gaëtan Picard (2005)

31. *Le sanctuaire des Immondes*
Gilles Devindilis (2005)

32. *L'éclair jaune*
Louis Laforce (2005)

33. Storine, l'orpheline des étoiles
Volume 5 : *La planète du savoir*
Fredrick D'Anterny (2005)

34. Storine, l'orpheline des étoiles
Volume 6 : *Le triangle d'Ébraïs*
Fredrick D'Anterny (2005)

35. *Les tueuses de Chiran,* Tome 1
S.D. Tower, traduction de Laurent Chabin
(2005)

36. *Anthrax Connexion*
Diane Bergeron (2006)

37. *Les tueuses de Chiran,* Tome 2
S.D. Tower, traduction de Laurent Chabin
(2006)

38. Storine, l'orpheline des étoiles
Volume 7 : *Le secret des prophètes*
Fredrick D'Anterny (2006)

39. Storine, l'orpheline des étoiles
Volume 8 : *Le procès des dieux*
Fredrick D'Anterny (2006)

40. *La main du diable*
Daniel Mativat (2006)

41. *Rendez-vous à Blackforge*
Gilles Devindilis (2007)

42. Storine, l'orpheline des étoiles
Volume 9 : *Le fléau de Vinor*
Fredrick D'Anterny (2007)

43. *Le trésor des Templiers*
Louis Laforce (2006)

44. *Le retour de l'épervier noir*
Lucien Couture (2007)

45. *Le piège*
Gaëtan Picard (2007)

46. *Séléna et la rencontre des deux mondes*
Denis Doucet (2008)

47. *Les Zuniques*
Louis Laforce (2008)

48. *Séti, Le livre des dieux*
Daniel Mativat (2007)

49. *Séti, Le rêve d'Alexandre*
Daniel Mativat (2008)

50. *Séti, La malédiction du gladiateur*
Daniel Mativat (2008)